# MARLIN KOHLRAUSCH

# A CONSTRUÇÃO DE UMA MARCA COM PROPÓSITO

Segredos de gestão para que executivos de todos os portes, empreendedores e profissionais liberais possam construir empresas sólidas, valiosas e duradouras

**Diretora**
Rosely Boschini

**Gerente Editorial**
Rosângela de Araújo Pinheiro Barbosa

**Editora Assistente**
Audrya de Oliveira

**Pesquisa e Edição**
Katia Simões e Roberto Prioste

**Produção Editorial**
Débora Freire

**Preparação**
Vero Verbo Serviços Editoriais

**Revisão**
Vivian Souza

**Capa**
Anderson Junqueira

**Diagramação**
Vanessa Lima

**Impressão**
Loyola

Copyright © 2020 by Marlin Kohlrausch
Todos os direitos desta edição são
reservados à Editora Gente.
Rua Wisard, 305 - sala 53, Vila Madalena,
São Paulo, SP – CEP 05434-080
Telefone: (11) 3670-2500
Site: http://www.editoragente.com.br
E-mail: gente@editoragente.com.br

**CARO LEITOR,**
Queremos saber sua opinião sobre nossos livros.
Após a leitura, curta-nos no facebook.com/**editoragentebr**,
siga-nos no Twitter @**EditoraGente**, no Instagram @**editoragente**
e visite-nos no site www.**editoragente.com.br**.
Cadastre-se e contribua com sugestões, críticas ou elogios.
Boa leitura!

Dados Internacionais de Catálogo na Publicação (CIP)
Angélica Ilacqua CRB-8/7057

Kohlrausch, Marlin
   A construção de uma marca de propósito / Marlin Kohlrausch. – São Paulo: Editora
Gente, 2020.

   208 p.

ISBN 978-85-452-0380-3

1. Sucesso nos negócios 2. Calçados Bibi 3. Administração de empresas 4. Indústria varejista
5. Inovação I. Título

19-2827                                                                                          CDD  650.1

Índice para catálogo sistemático:
1. Sucesso nos negócios

**D**edico este trabalho à minha esposa, Suzana, que me apoiou ao longo de toda a minha trajetória à frente da Calçados Bibi; às minhas filhas, Andrea, Daniela e Camila, que me fazem dia a dia acreditar que é possível construir um mundo melhor; aos meus netos, Luísa, Malu, Augusto e Sara, responsáveis pelos meus mais largos sorrisos e aos meus genros Alexandre Martins, Christiano Coelho e Alexandre Vedovato.

Agradeço em especial às jornalistas Debora Freire e Katia Simões, que me ajudaram a colocar no papel o turbilhão de ideias e ensinamentos que gostaria de transmitir. Por fim, agradeço a todos aqueles que enriqueceram esta obra com suas colaborações.

# Sumário

APRESENTAÇÃO......................................................7

PREFÁCIO..........................................................11

**PARTE I – CONSTRUINDO A MARCA**...............................**15**

1. Suzana, acordamos para vencer!................................17

2. Cultura: não existe um só sapato para todos os pés...........29

3. Um time de parceiros.........................................54

4. Pra criança ser criança – Esse é o propósito da Bibi.........63

5. Entre ganhar dinheiro e mudar o mundo, fique com os dois.....73

6. O desafio da liderança moderna...............................83

7. Chegou a hora de passar o bastão. E agora?..................101

8. O eterno jogo do esforço × conforto.........................117

**PARTE II – INOVAÇÃO**........................................**125**

1. Inovar é inventar o próprio futuro..........................127

2. Crescimento exponencial: sua empresa também pode............138

3. Ficção científica? Não, é a indústria 4.0..................146

**PARTE III – O DESAFIO DO VAREJO**............................**157**

**PARTE IV – FUTURO**..........................................**179**

1. Para não parar no tempo.....................................181

2. Essa tal felicidade.........................................191

Bibliografia....................................................201

# Apresentação

Desde o dia em que decidi me desligar da presidência da Calçados Bibi e passei a trabalhar o plano para a minha sucessão na empresa – que ocorreu quando completávamos setenta anos de história –, comecei a fazer um balanço da minha trajetória como homem e como empresário. Logo me dei conta de que os mais de quarenta anos como primeiro executivo da companhia ajudaram a moldar um legado que não poderia ser guardado num canto qualquer. Senti que era meu dever compartilhar minha experiência. Minha despedida do dia a dia da empresa foi planejada durante muitos anos. E, quando chegou a hora, constatei a assertividade de que a "passagem do bastão" não deveria ser abrupta. Pelo contrário. Era preciso que fosse uma espécie de distensão, lenta e gradual, como devem ser as decisões importantes – para não dizer fundamentais – na vida de qualquer pessoa.

Sim, agora eu teria mais tempo para me dedicar aos afazeres pessoais. Mas também teria tempo para amadurecer um projeto para dividir essa experiência. E pensei que a melhor forma de compartilhar o conhecimento e os ensinamentos práticos – adquiridos de maneira sistemática, seja no chão da fábrica, no escritório ou nas salas de reuniões – seria reunir tudo em um livro. Ao longo da minha trajetória de empresário, escrevi quatro obras sobre gestão. Mas neste livro, que ora tenho a oportunidade e a honra de apresentar a você, leitor, eu pude abarcar um ciclo completo, com começo, meio e fim.

Aprendi reconhecendo erros, fui humilde ao corrigir rotas, trilhei caminhos apontados por pessoas mais experientes. Fundamentalmente, procurei aprender sempre. Busquei os exemplos e as boas práticas na vida real, nos livros, nos congressos e nos seminários dos quais participei. Quando foi preciso, pedi ajuda profissional de especialistas, voltei inúmeras vezes à academia para me reciclar, aprender novas técnicas e conceitos modernos. Acompanhei a evolução da sociedade, do mercado e do mundo dos negócios. O resultado é esse, que reparto com você nas próximas 200 páginas.

E com quais objetivos eu o faço? O livro *A construção de uma marca com propósito* é fruto de um desejo simples: diante de um cenário de tantas provações para empresários e executivos brasileiros, a ideia é dar um norte, mostrar para empreendedores e gestores que é possível começar, crescer e prosperar. Evidenciar que é importante acreditar em valores e princípios. E comprovar que é preciso ter esperança; e é possível se dar bem fazendo as coisas certas. A ideia do livro é, também, tirar as pessoas do conformismo e da descrença. É reafirmar de uma vez por todas que, apesar dos exemplos que temos rotineiramente, não fica tudo bem pegar atalhos à margem da lei de vez em quando.

Tenho, isso sim, orgulho de tornar públicas as práticas que deram certo na Calçados Bibi. Desejo apenas que possam servir de parâmetro para outros líderes, de qualquer área de atuação, qualquer que seja o tamanho da empresa.

A ideia, como disse, era acalentada há alguns anos. Porém, foram três meses de execução, nos quais respirei e me nutri deste livro desde as primeiras horas da manhã, ao me levantar, até o fim da jornada, quando, já com a cabeça no travesseiro, ficava a cogitar maneiras de atingir os melhores resultados. Foram dias de buscar na memória cada centelha de inspiração, cada conversa, cada decisão. Foram dias de reunir escritos antigos, anotações em agendas, de olhar para a biblioteca, retirar das estantes os livros nos quais fui ao encontro de histórias e estímulo para me tornar um homem melhor, um empresário melhor e mais justo. Foram tempos de vasculhar a rede, reler teses, artigos e reportagens inspiradoras.

Acima de tudo, foram dias e dias de conversas com pessoas influenciadoras, parceiros de negócios, amigos do coração, que me ajudaram nessa caminhada, que ora eternizo nas páginas deste singelo, mas profundo, trabalho. Não são memórias de um homem, não são lições de um empresário, não se trata de um compêndio de como fazer. Não, não tenho essa pretensão. Quero apenas compartilhar, dividir conhecimentos, distribuir emoções.

E para dividir com vocês, antes, busquei somar. Para isso, contei com a ajuda de sete pessoas muito especiais. Elas estiveram ao meu lado nessa trincheira. Juntos, afrontamos um bom combate: fazer a empresa que vai muito além do lucro, muito além das cifras e dos números.

Marcone Tavares, presidente da Associação Brasileira de Lojistas de Artefatos e Calçados, companheiro de primeira hora, nos presenteou com suas experiências no desenvolvimento de fornecedores, parceiros importantes e fundamentais da Calçados Bibi desde os primórdios.

Outro presente veio de Lyana Bittencourt, sócia-diretora da Bittencourt, consultoria especializada no desenvolvimento e na expansão de redes de franquias e negócios, nos falando sobre o propósito das organizações.

De Clóvis Tramontina, cujo sobrenome dispensa apresentações, recebemos a contribuição sobre liderança. Como presidente de uma das maiores e mais tradicionais indústrias brasileiras, ele tem muito a nos ensinar.

Volnei Garcia, diretor da CEDEM e professor da Fundação Dom Cabral, cuja amizade desfrutei intensamente nos últimos anos ao colocar em prática o plano de sucessão da Bibi, joga a luz da sua sabedoria num assunto difícil e quase sempre cheio de armadilhas, principalmente nas empresas familiares.

Alberto Serrentino, fundador da Varese Retail, boutique de estratégia de varejo, aborda clara e profundamente as mudanças do cenário do varejo no século XXI. Quem precisa vender aquilo que produz sabe avaliar a importância e o respeito com que o consumidor deve ser tratado.

E, por fim, mas não menos importante, temos a contribuição de Cristina Franco, empresária, conselheira da Bibi, ex-presidente da Associação Brasileira de Franchising (ABF), que nos traz ensinamentos sobre cultura empresarial. Ela nos ensina que a cultura está para a empresa assim como a família está para a sociedade.

Deixo aqui, sem distinção, o meu agradecimento a cada um deles e, também, ao amigo e publicitário Gastão Eduardo de Cantos, da Agência Gaz, que escreveu o Prefácio. São pessoas da maior qualificação, que ajudaram a formatar este trabalho para que crescesse em importância e em qualidade. Agora só me resta desejar que esse esforço, que consumiu as energias e o talento de tantas pessoas, se torne um instrumento para melhorar as relações que existem quando falamos de empresas e negócios, de trabalho e pessoas, de lucro e qualidade de vida. Boa leitura!

# Prefácio

Em uma viagem que fizemos juntos à China, Marlin observou de longe uma família com uma criança usando um calçado Bibi. Sim, num contexto de extrema densidade populacional, cercado de milhares de pessoas em ruas comerciais abarrotadas de gente, seu olhar aguçado conseguiu localizar uma criança com Bibi nos pezinhos, acredite! Ele abriu um sorriso com o achado, parou para conversar com aquela família e tentou explicar que gostaria de tirar uma foto da criança calçando Bibi ao lado dos pais. Marlin apontava ora para os tênis, ora para ele próprio, na expectativa de alcançar o seu objetivo gesticulando, pela dificuldade do idioma. Eles provavelmente entenderam que aquele estrangeiro simpático achou bonito o produto, sem fazer ideia de se tratar do CEO da marca Bibi. Enfim, a linguagem de gestos funcionou. Ele conseguiu autorização para tirar uma foto com uma criança que, do outro lado do mundo, usava Bibi. Na verdade, seria difícil dizer quem era mais criança naquele momento, a jovem chinesa ou o homem adulto que se orgulhava de ver a sua marca conquistando o planeta.

Essa viagem com o Marlin, pesquisando o mercado internacional e visitando as lojas que vendem produtos Bibi em outros países, rendeu muitos *insights* e até hoje brincamos que foi uma "viagem interplanetária", pela intensidade dos dias vividos. Fui como parceiro de negócios, como quem cuida da comunicação da marca, o que não incluía intermediar diálogos em mandarim, por sorte. O episódio da China traduz um pouco desse empreendedor que é admirado por todos que o conhecem, o mesmo empreendedor que me falou da missão da Bibi um dia com brilho nos olhos: ser uma marca global de desejo. Marlin é uma dessas pessoas apaixonadas pelo que faz, antes de mais nada. Eu tenho certeza de que a Bibi é um sucesso porque todos os envolvidos no seu dia a dia são movidos pelo mesmo sentimento de entusiasmo que nasceu do seu gestor.

Em minha trajetória, tenho sido incisivo numa questão com meus clientes: para uma marca ter sucesso, ela precisa ser verdadeira e, para isso, produto e marketing precisam ser legítimos nos seus propósitos. Nesse ponto, começamos com o pé direito. A Bibi tem um princípio que norteia a marca, e Marlin não abre mão dele: proporcionar uma infância saudável e feliz desenvolvendo o calçado ideal para cada fase da criança. Tudo comprovado cientificamente, o que autentica a mensagem. Se o tema "marca de propósito" tem ganhado holofotes nas discussões de marketing agora, ele é praticado desde sempre na Bibi, uma empresa que acredita na relação humana como catalisadora de mudanças e na responsabilidade social como agente de transformação. Marlin sabe como poucos que essas causas não são apenas da empresa, mas da sociedade. E também sabe que apesar de toda sua convicção e consistência, há muito suor no meio do caminho para construir uma *brand experience* de verdade.

Da cadeia produtiva aos lojistas, é preciso envolvimento total dos *stakeholders*, todos sabemos. Desde as primeiras visitas às fábricas e aos pontos de venda, percebi que Marlin e seu time tinham isso sob controle de uma maneira muito participativa. Os colaboradores também sentem a mesma paixão pelo que fazem; os fornecedores, os representantes e os vendedores estão engajados no propósito da empresa porque acreditam nela, todos operando nessa atmosfera inspiradora criada pela gestão. Tudo isso me faz sentir um privilegiado por fazer parte de uma história tão colaborativa, real e enriquecedora.

Desde o começo, só aprendi com o mestre Marlin. Toda a minha equipe e eu fomos cativados pelo seu sonho, estimulados por crenças em comum, e juntos traçamos uma parceria feliz e de sucesso. Em nossas trocas de ideias e experiências, encontramos soluções, criamos projetos, desconstruímos paradigmas, concordamos na maioria das vezes, discordamos em alguns pontos, vencemos crises e vamos crescendo juntos, como todos que jogam no time Bibi. Marlin criou um ambiente que prima pelos detalhes, pela qualidade, pela visão holística. Para ele, é impossível olhar o produto perfeito sem ver as pessoas felizes por trás dele e não faz nenhum sentido focar na produção sem compromisso social e de sustentabilidade. O que é compromisso numa empresa moderna é parte da missão de vida da Bibi: não adianta pensar numa infância melhor sem pensar no futuro do planeta. Claro que Marlin já tinha isso desenhado quando assumiu a presidência da empresa fundada pelo sogro, porque a Bibi nasceu assim, está no seu DNA inovador como uma das primeiras marcas de calçados infantis do Brasil. Ele só aperfeiçoou com o passar dos anos, como todo homem à frente do seu tempo ou toda criança curiosa para descobrir (e conquistar) o mundo ao seu redor.

Esse é o Marlin! Poderia dizer que é um visionário, e sempre foi, porque a Bibi é pioneira e inovadora por natureza. Poderia dizer que é um empreendedor de sucesso, e os resultados comprovam. Poderia dizer que é um dos melhores gestores que conheço, e é só perguntar para quem trabalha com ele para entender o seu legado na administração da empresa. Poderia dizer que é um grande parceiro de negócios, e os mais de dez anos de conquistas juntos atestam isso. Na essência, Marlin é um entusiasta. A força da Bibi é reflexo de um propósito que se propaga por todo o ecossistema da marca, ultrapassa os limites geográficos, os idiomas, e contagia fãs nos cinco continentes com uma linguagem universal. Porque ele é um apaixonado pela Bibi, ama a sua marca como a um filho e ainda compartilha segredos dessa "paternidade" com a gente neste livro, passo a passo. Ou, para quem cresceu aprendendo a conquistar o mundo, *step by step*. Só não pergunte a ele como se fala isso em mandarim, ok? O resto ele pode ensinar a você. Boa leitura!

**Gastão Eduardo de Campos**
**gas-br**

# Parte I

## CONSTRUINDO A MARCA

# Capítulo 1
## SUZANA,
## ACORDAMOS PARA VENCER!

— Eu confio em ti — disse o meu sogro, olhar firme na minha direção.

— A empresa não está preparada para essa sucessão — retruquei.

Ele, ainda me olhando por trás dos óculos de aros grandes, lentes sensíveis à luminosidade, continuou:

— Nós vamos trabalhar juntos para reconquistar a confiança dos nossos funcionários, dos nossos fornecedores e dos bancos.

Esse curto diálogo pôs fim à conversa mais séria e importante que eu havia tido com Albino Eloy Schweitzer – pai da minha esposa Suzana – desde que o conheci, em 1972. Em 1986, recebi a notícia de que seria o novo diretor-presidente da Calçados Bibi, a primeira indústria a fabricar exclusivamente calçados infantis no Brasil. Não seria, definitivamente, nada fácil. Naquele momento, a empresa pagava caro pelo pioneirismo e por vultosos investimentos estratégicos para se tornar a maior do setor. Era uma empresa à beira da falência. O desafio era hercúleo.

Sabia das dificuldades porque tinha os números à mão. O índice de liquidez da empresa projetava um desastre logo à frente. Para cada R$ 1,00 que devíamos aos bancos e aos fornecedores, havia apenas R$ 0,21 a receber. Os bancos não acreditavam na recuperação da empresa. Era um momento crucial porque, de uma hora para outra, tudo poderia ir por terra. E havia um número tão significativo quanto preocupante: naquele ano, a empresa atingira 3.050 funcionários, um recorde.

Ter o meu sogro, Eloy Schweitzer, ao meu lado me dava tranquilidade. Eu o conhecera catorze anos antes. Foi quando fui apresentado à família da minha futura esposa. Nós estávamos namorando há poucos meses e era o momento de oficializar o relacionamento. A primeira impressão sobre o seu Eloy – a de um homem extremamente sério – me acompanhou para sempre. Com o tempo e a convivência, fui descobrindo outras qualidades, outras características dele. Era um visionário e isso resumia, em muito, o seu jeito de ser e encarar a vida.

Eloy Schweitzer era um dos mais importantes empresários do setor calçadista do Rio Grande do Sul. Ele tinha fundado a Calçados Bibi quase quatro décadas antes de me fazer diretor-presidente. A fabriqueta de calçados começou a funcionar em 25 de abril de 1949, em Parobé, então distrito do município de Taquara (RS), do qual veio a se emancipar no começo da década de 1980. Parobé, na época, não tinha sequer dez mil habitantes. A fábrica, nascida sob a razão social Saft & Cia Ltda., fora montada com o capital de outros dois acionistas: Rudi Gustavo Ludwig e o seu cunhado Arcides Saft. Lory Ignácio da Silva, um então jovem modelista de calçados, completava o *staff* da empresa. Ainda naquele abril de 1949, teve início a produção diária de 35 pares de calçados para crianças de até 3 anos. Tudo manufaturado numa máquina de pontear.

O meu sogro Eloy Schweitzer já conhecia o setor de couros e calçados, muito forte na Serra Gaúcha. Nascido na vizinha Novo Hamburgo, em 1924, aos 18 anos era "guarda-livros", formado no Colégio São Jacó. Ele trabalhou em várias empresas da cidade e em Caxias do Sul – e foi sócio do sogro e de um cunhado numa loja de tecidos e num armazém de secos e molhados. Também teve um cinema que funcionava nos fins de semana, antes de se aventurar na fábrica de calçados. Uma coisa era certa: ele queria fazer calçados para crianças.

O dinheiro para a empreitada veio de um empréstimo que o seu Eloy pegou com familiares. Os recursos dos três sócios foram investidos num terreno no centro do distrito de Parobé e na construção das primeiras instalações, um prédio com 200 metros quadrados. Quando os pares do sapato boneca – um modelo para meninas – começaram a sair da linha de produção, não havia outra indústria de calçado infantil em nenhum outro ponto do país. A minha sogra, Hedwig Schweitzer, viu o nascimento de tudo: "A fábrica era na frente da nossa casa. Ainda está tudo lá". Já Suzana Kohlrausch lembra: "Era a nossa área de lazer. A gente brincava, quando criança, dentro da fábrica porque meu pai vivia lá".

No chão da fábrica, trabalhavam oito colaboradores. O corte do couro e a montagem eram feitos manualmente, e os demais processos, com exceção da etapa de costura, eram artesanais. No segundo semestre de 1949, a indústria já produzia oitocentos pares por dia. O senhor Eloy comprava, fazia a parte comercial e a contabilidade. À noite, ele ia para casa, jantava e retornava para encaixotar o que tinha sido produzido durante o dia. Não havia caixas de papelão para as embalagens. Tinha de comprar madeira, montar a caixa com pregos, forrar com papel, colocar o calçado e embarcar por ferrovia.

## O FILHO DE CAMPONESES VAI À ESCOLA

Eu nasci praticamente um ano depois da fundação da empresa. Foi no dia 9 de abril de 1950, em Canela, a menos de 50 quilômetros de Parobé. Morei em São Francisco de Paula e muito cedo fui para a lida na roça. Com pouco mais de 10 anos, a minha família se mudou para Taquara. Meus pais, Edgar e Albertina, se levantavam às 3 ou 4 horas da madrugada para fazer a ordenha das vacas. De manhãzinha, eu saía às ruas vendendo o leite a granel, de porta em porta.

Meu primeiro trabalho formal foi num atacadista. Foram anos e anos de aprendizado na JG das Neves. Ali fiquei até os 22 anos. Eu estava para me formar em Administração de Empresas e a minha veia empreendedora já pulsava quando decidi me associar a outras duas pessoas e montar o meu próprio negócio. Era um escritório de contabilidade e assessoria tributária para as empresas. Nessa época, eu já havia conhecido a filha do seu Eloy, Suzana: "Eu conheci o Marlin no aniversário de 15 anos de uma amiga. Ele entrou no bolo vivo", lembra.

O bolo vivo é uma dança em que casais de amigos executam uma coreografia e vão formando uma figura que lembra o bolo de aniversário. Era muito comum nas festas de 15 anos daquela época no interior do Rio Grande do Sul. No final, o pai dançava com a filha no centro da roda. Muitos namoros começavam assim. O nosso não foi diferente: "Assim que ele me viu já foi se aproximando e, à primeira vista, me pediu em namoro", conta Suzana.

Quatro anos depois, em 1975, estávamos casados. Eu continuei tocando o escritório de contabilidade com os demais sócios. Porém, um ano depois, a Bibi abriu vagas para contabilistas e o meu sogro fez o convite para que eu fosse trabalhar com ele. Eu tinha 26 anos e levava, além de um diploma de administrador de empresas e alguma experiência em contabilidade e tributação, muita vontade de aprender. A rotina da banca de advocacia deu lugar ao trabalho na fábrica. Durante quase dez anos, rodei a empresa, passei por vários setores, ao mesmo tempo em que aprimorava a minha formação em cursos nas áreas de marketing, administração financeira, custos, vendas, qualidade, recursos humanos e qualidade de vida.

Quando eu cheguei na empresa, a fábrica já era uma das grandes do setor. O quadro societário não era mais o mesmo, o nome não era mais o mesmo.

As mudanças começaram depois de transcorridos cinco anos do início das atividades. O senhor Lory Ignácio da Silva, que estava na empresa desde o primeiro dia e cuidava da modelagem dos produtos, passou a ser sócio da empresa. O modelista era o profissional responsável por desenhar os modelos, experimentar materiais e desenvolver técnicas de produção. Não havia cursos profissionalizantes e os macetes do ofício ficavam restritos a um grupo de não mais que dez profissionais em todo Vale do Rio dos Sinos. O grupo era fechado. Os modelistas se reuniam num café em Novo Hamburgo e ali trocavam experiências. Todos eles tinham ateliês de modelagem próprios e prestavam serviços às fábricas de calçados instaladas no Vale do Rio dos Sinos como autônomos. Lory Ignácio da Silva participava do grupo, mas podia ser considerado um estranho no ninho. Além de estar ligado a uma empresa, era o único que não residia em Novo Hamburgo.

## A MONTANHA-RUSSA DA ECONOMIA

O nome Bibi foi registrado em 1954. A nova marca era fruto da paixão do meu sogro por dois grandes nomes do teatro brasileiro. Ele contou essa história numa entrevista em 2005: "Eu admirava muito a arte de Procópio Ferreira e da sua filha Bibi. Achei que o nome Bibi seria bom para nossos calçados e o batizamos com o prenome da então jovem e consagrada atriz brasileira. A marca Bibi, acho, foi muito beneficiada com a relação que os clientes faziam entre a famosa artista e nossos produtos".

As bases para o crescimento da empresa pareciam estar devidamente assentadas. O caminho era seguro. E a Calçados Bibi caminhava a passos largos para ocupar posição de destaque no setor calçadista e começar a disputar a liderança do mercado de calçados infantis. A indústria ampliava a produção, começava a abrir filiais. Mais importante que isso, foi o lançamento da linha de tênis jogging, em 1970. Pela primeira vez, a marca da inovação era impressa no DNA da Calçados Bibi.

O produto usava placas de EVA – um processo que usa alta tecnologia para misturar etil, vinil e acetato – em vez do solado injetado. A novidade chegou à empresa pelas mãos de um representante comercial da Bibi no Rio de Janeiro, que recebeu de um lojista dois tênis importados feitos com EVA. Ele queria saber se aquele calçado poderia ser produzido no Brasil. A amostra foi encaminhada à empresa. A resposta foi positiva, e a linha de calçados inovadores chegou às sapatarias batizada de "Cavalo de Aço", título da novela líder de audiência da Rede Globo à época. Como a novela, o sucesso foi estrondoso. O volume de produção, porém, era suficiente apenas para atender o mercado carioca.

A Bibi crescia. Como não havia espaço para aumentar a produção na unidade de Parobé, a alternativa foi abrir a primeira filial em Rio da Ilha, também distrito de Taquara. Ali haveria espaço para instalar uma caldeira e alguns autoclaves, além de mão de obra a ser preparada. Em 1980, também em razão da falta de espaço físico na matriz, a Bibi instalou a segunda filial em Campo Vicente, a 6 quilômetros de Parobé. Foi quando a Bibi deu o segundo salto em inovação: as unidades desenvolveram a tecnologia de vulcanização. O processo utilizado pela Bibi foi pioneiro e por muito tempo a produção de vulcanizados foi responsável pela manutenção da Bibi, que chegou a produzir 4 mil pares por dia. A fábrica de Parobé abastecia alguns países da América do Sul e o mercado interno, para onde era destinada, também, toda a produção da filial de Rio da Ilha.

O cenário que se desenhava para o futuro era de otimismo. Havia euforia com o início da produção de vulcanizados. Mas o que vimos pela frente foi uma das mais graves crises que a empresa passou. A empresa chegou a ter dez sócios. Como eles não tinham um norte bem definido e não havia entendimento, a produção não era sincronizada e não havia cuidado com os produtos. O resultado era o desperdício. Em 1986, com o Plano Cruzado, houve um crescimento acelerado com uso do capital de bancos. No entanto, em 1987, o mercado parou de comprar e teve início a maior crise da história.

A fábrica se encaminhava para a falência. Não tínhamos crédito junto aos fornecedores, aos bancos e aos clientes. Some-se a isso decisões administrativas fora da realidade: contratações desnecessárias e criação de cargos de chefia até para grupos de pintores e motoristas. A folha de pagamento foi onerada e a empresa estava inchada. Em 1986, o número de funcionários da Bibi bateu no teto: 3.050 colaboradores em Parobé, Rio da Ilha e Campo Vicente.

**As bases para o crescimento da empresa pareciam estar devidamente assentadas. O caminho era seguro. E a Calçados Bibi caminhava a passos largos.**

Foi esse o cenário que eu vivi na Calçados Bibi em 1986. A empresa precisava de ações saneadoras. Não houve qualquer preparação da minha parte, ou da Bibi, para a sucessão. Por ter sentido na carne as dificuldades de assumir uma empresa nessas condições, eu formei uma forte convicção sobre a sucessão em empresas, assunto que trataremos adiante.

Era hora de descer ao chão da fábrica, aos escritórios, visitar fornecedores e ir aos bancos anunciar as mudanças e preparar colaboradores e parceiros para os tempos difíceis que estavam por vir. E fiz isso pessoalmente, visitando cada um deles, falando frente a frente. E isso significava, numa expressão simples, colocar o pé no freio. Eu costumava fazer a analogia do avião que está voando a 8 mil metros de altitude e começa a enfrentar turbulência. Se você reduzir para 5, 6 mil metros de altura, você diminui a turbulência. Era preciso diminuir de tamanho, montar planos brutais de venda de ativos e de redução de custos em todas as áreas.

Traduzindo em números, isso significava cortar a produção de 20 mil para 6 mil pares por dia. Fechamos as filiais de Campo Vicente (1987), Canela (que fora aberta em 1986 e funcionou por dois anos) e Rio da Ilha (2005). Ficamos apenas com duas fábricas, Parobé e Cruz da Almas, interior da Bahia, que entrou em operação em 1998. Porque a lógica econômica é simples: a gente precisava de capital de giro e quanto maior a sua produção, maior a necessidade de capital de giro. O quadro de funcionários deveria ser reduzido a oitocentos colaboradores, o que significava demitir e indenizar cerca de duas mil pessoas. Há uma frase que sempre levei comigo: a falta de resultados machuca, mas a falta de caixa mata a empresa.

A Calçados Bibi devia aos bancos mais de 5 milhões de dólares, o equivalente a um ano de faturamento. Chegara o momento de negociar com praticamente todas as instituições bancárias. Era em torno de 25, mas nosso grande credor era o Banco do Brasil (BB). Esse banco era um dos nossos grandes parceiros e as negociações foram feitas na superintendência regional. A conversa com o diretor começou difícil:

— Vocês não têm solução — me disse o superintendente.

— Nós temos solução — respondi. — Nós vamos sair dessa situação porque nós temos um plano.

E o desafio era tão grande que me propus a selar a nossa volta por cima com uma tradição gaúcha:

— Na hora que terminarmos de pagar todos os bancos, de pagarmos o Banco do Brasil, nós vamos fazer um suculento churrasco e faço questão da presença de vocês.

E assim foi feito. Dez anos depois, estavam no churrasco gerentes, diretores e o superintendente do Banco do Brasil. Depois do anúncio oficial, em que informamos que tínhamos saldado todas as nossas dívidas, o superintendente do BB me procurou e revelou:

— Eu não acreditava que a empresa poderia sair daquela crise. Nós, do banco, entendíamos que era um processo de autofalência que não poderia ser estancado.

Também desse episódio ficaram lições sobre o quadro societário de empresas e dependência de instituições financeiras. É importante reforçar um recado que eu dou a todos: a gente sempre tem de acreditar, tem de confiar, tem de trazer uma liderança forte para o seu lado, trabalhar junto.

A crise que abalava as estruturas da Calçados Bibi tinha, em muitos aspectos, origem em decisões administrativas equivocadas, mas o país também estava mergulhado numa crise. No ano em que assumi, o governo José Sarney havia lançado em fevereiro o Plano Cruzado. Era uma tentativa desesperada de controlar a inflação de 571% ao ano, de acordo com a Fundação Getulio Vargas. Entre as medidas, estava a criação da nova moeda, o Cruzado, em substituição ao Cruzeiro; o congelamento de preços, que transformou cidadãos em "fiscais do Sarney"; a desindexação, que extinguiu o índice que corrigia mensalmente a taxa de inflação; e a indexação dos salários. No entanto, nove meses depois, o Plano Cruzado fracassou. A inflação voltou e no primeiro bimestre de 1987 a inflação já estava em 337%.

Nesse cenário, lançamos o plano de recuperação da empresa. Foi preciso fazer ajustes no quadro societário para debelar a crise interna: cinco sócios deixaram a Bibi. Na verdade, todos eles demonstraram desinteresse em continuar na empresa. Eu gosto de usar outra analogia para colocar as coisas de forma bem clara: uma empresa em dificuldades econômico-financeiras é como um paciente terminal, a maioria das pessoas quer ficar longe.

Os cinco sócios remanescentes elaboraram um plano de curto, médio e longo prazo. Além das medidas já citadas – cortes na produção, redução de pessoal e o fechamento de filiais –, decidimos que era preciso mudar a cultura da empresa, centrando foco na transparência e nos resultados. Levamos um ano discutindo e chegamos a um denominador: a cultura do comprometimento.

Isso foi feito com a ajuda de uma consultoria e de um grupo de cem pessoas que, de modo participativo, pensava em como migrar para uma cultura de transparência e de comprometimento com metas e objetivos.

Começamos elegendo um grupo que nós chamamos de "formadores de opinião". Fizemos seminários e cursos. E chegamos às respostas que procurávamos. Descobrimos o que nós valorizávamos, o que pensávamos para o futuro, como agiríamos com os fornecedores, os bancos, a sociedade e os colaboradores. As discussões nos conduziram ao norte cultural da empresa. Nosso norte seria o lucro – financeiro e social –, e chegaríamos lá trabalhando em conjunto. Concluímos, ainda, que o lucro financeiro seria o ganho monetário que a empresa acusa em seus balanços e que o lucro social seria constituído pelos benefícios extrassalariais oferecidos aos seus colaboradores, como participação nos resultados e plano de produtividade. Para alcançar esse objetivo comum, tínhamos o entendimento de que o primeiro valor a ser cultivado era o comprometimento sustentado por três pilares: autoestima, empatia e afetividade.

Naquele momento, eu sentia que as pessoas estavam envolvidas, mas não estavam comprometidas. Havia a necessidade de resgate da autoestima dos colaboradores. Para que houvesse comprometimento, era preciso transparência. Adotamos programas consonantes com a nova cultura. Projetos de endomarketing foram implementados e práticas organizacionais que se institucionalizaram na empresa foram criadas.

As medidas práticas começaram a ser adotadas, a começar pelo diretor-presidente. Eu dispensei a secretária e passei a trabalhar em um grande salão junto com os colaboradores. Não tinha portas ou salas, os quadros de gestão com metas e resultados ficavam à vista; os funcionários ganharam participação nos lucros; investimos em qualidade para agregar valor aos nossos produtos; um ortopedista foi contratado para supervisionar a área de pesquisa e a matéria-prima sintética foi quase toda substituída por fibras naturais; passamos a vender só produtos da nossa própria marca, deixando de lado produtos de apelo fácil.

Pode parecer algo insignificante, mas duas inovações então recentes da Bibi foram sugeridas por clientes em um shopping: o calçado com biqueira para o bebê engatinhar e a sola transparente, que facilita aos pais verificar se os tênis do filho ainda estão servindo.

## A REINVENÇÃO DE UMA MARCA

E assim a Bibi renasceu. Com duas fábricas, uma no Rio Grande do Sul e outra na Bahia, a empresa produz 2 milhões de pares ao ano. As vendas externas com a nossa marca para mais de setenta países representam 20% do faturamento. Nessa busca pela retomada do crescimento, uma das estratégias mais importantes foi assumirmos, de uma vez por todas, o foco na criança e na qualidade do calçado infantil. É isso que resume o propósito expresso na frase "Pra criança ser criança". Isso é muito claro para todos nós da companhia. Um bom exemplo: se salto alto não é recomendado para a criança, então a Bibi não fabrica modelos desse tipo. A marca também é pioneira em desenvolver produtos a partir de pesquisas e estudos científicos. Conquistou reconhecimento no trabalho com os calçados fisiológicos e no emprego de tecnologia da palmilha Fisioflex Bibi.

A partir de 1988, iniciamos o processo de posicionamento de mercado. Até essa data, a Bibi produzia calçados com a marca de terceiros e passamos a fazer somente com a nossa marca. Todas essas medidas pavimentaram o caminho para aquele que era um dos objetivos estratégicos mais importante da empresa: o processo de internacionalização. Isso aconteceu em 1994, quando iniciamos a exportação com marca e design próprios. Para tanto, adotamos a estratégia de diversificação de produtos e de mercados. Com isso, a empresa passou a estar presente nos cinco continentes.

A Bibi acompanhou a globalização. No passado, fazia coleções para o Brasil e para os mercados considerados maduros, como o norte-americano, o europeu e os países emergentes da América Latina. Nos últimos anos, unificou as coleções em âmbito mundial porque entendemos que os consumidores do mercado sul-americano querem as mesmas coisas na mesma época do ano, afinal, quando é verão no Brasil, é verão no continente inteiro. E para ter essa certeza, costumamos ir a campo para conhecer o gosto da clientela local e treinarmos nossa equipe.

Na virada do século, sentimos a necessidade de promover um reposicionamento da marca Bibi. O trabalho começou em 2004 e se estendeu pelo ano seguinte. Foi definido que saúde e diversão fariam parte do "guarda-chuva" da empresa. Dessa maneira, a Bibi tem produzido, por exemplo, tênis com palmilha Dry Walk que mantém os pés secos e ventilados; o Bibi Beats – tênis com rádio FM acoplado; os colecionáveis Racing – tênis estilo carro de polícia, bombeiros, *tuning* e ambulância, com sirene opcional; o Light Way – tênis com lanterna; e o Bibi Blade – tênis com um protetor acoplado no calcanhar do calçado.

Para estar ainda mais próxima dos nossos consumidores, a Bibi foi ao varejo com lojas próprias. Do total de calçados produzidos, em torno de 40% são vendidos para lojas multimarcas, 40% comercializados nas lojas próprias e franqueadas e 20% seguem para exportação. A opção pelo franchising foi outra estratégia adotada pela empresa para fortalecer a marca. Um plano desenvolvido há mais de doze anos com resultados estimulantes: a Calçados Bibi possui mais de 3.500 pontos de venda multimarcas e 120 lojas, sendo vinte próprias e cem franquias. A empresa tem investido em franquias no exterior e já conta com oito unidades, sendo cinco no Peru e as demais na Bolívia, no Equador e na Romênia. A minha filha, Andrea Kohlrausch, foi quem encabeçou a estruturação da divisão de franchising da Bibi, que hoje está em 65 cidades, espalhadas por 24 estados mais o Distrito Federal.

A maioria das lojas está localizada em shopping centers. Andrea é mãe e consumidora e costuma dizer que, por trabalharmos com o público infantil – e apoiados em pesquisas –, entendemos que o shopping é o local em que a mãe consegue resolver várias situações. E acaba sendo um atrativo também para a criança, pois ela pode ter outras experiências como ir ao cinema, por exemplo. A primeira loja física foi aberta em 2008 e o e-commerce está no ar desde 2013. Como o consumidor transita pelos canais on-line e off-line, a companhia tem trabalhado na omnicanalidade – termo originado no inglês, que significa atuar de maneira linear em todos os canais, sejam eles on-line (web, app, redes sociais), sejam off-line (TV, lojas físicas etc). O cliente já pode comprar um produto e escolher a retirada em uma loja física, assim como o franqueado pode vender um produto que não está no estoque e o consumidor receber em casa ou retirar na loja.

Quando nós carimbamos a marca da inovação no nosso DNA, sabíamos que estávamos olhando para o futuro. Sedimentamos essa estratégia ao decidirmos que a inovação seria o pilar de crescimento. Isso foi materializado com a construção de um ambiente fora do local de trabalho, chamado de Ninho de Inovação. É uma pequena construção de madeira, com paredes de vidro, na fábrica em Parobé. O Ninho foi criado em 2016, para que colaboradores, parceiros, varejistas, fornecedores e franqueados pudessem discutir inovações e apresentar suas ideias. Inovar não significa apenas apresentar algo inusitado, mas, principalmente, resolver os problemas da humanidade, além de acompanhar as novas demandas do consumidor.

Em 2019, a Calçados Bibi começou a investir em um novo modelo de negócio, o quiosque. É uma opção mais enxuta e barata aos que desejam apostar no próprio negócio e abrir uma franquia da marca.

Quando eu penso no futuro, para onde caminhamos, como empresa e como seres humanos, me vem à cabeça a palavra engajamento. Nós precisamos buscar o engajamento de todos: do nosso time interno, dos nossos clientes, dos nossos franqueados e dos nossos fornecedores. E para isso, precisamos, constante e diariamente, fazer o resgate permanente da autoestima das pessoas. A outra palavra que costumo usar quando penso no futuro é afetividade. Passamos o maior tempo da nossa vida dentro de uma empresa. Por que não criar um ótimo ambiente de trabalho? Uma excelente estratégia é incentivar práticas que integrem os colaboradores, como comemoração de aniversário, almoços em conjunto etc. E no primeiro dia útil do mês, em todos os setores da empresa, canta-se o Hino Nacional.

Outra questão importante é o legado. Deixar um legado, deixar uma história. Estar dentro do capitalismo consciente, e não do selvagem. Ficamos nos perguntando: o que nós queremos para o futuro? A liderança não tem que olhar no retrovisor, ela tem que olhar para a frente de forma estratégica. O que nós queremos? Como é que nós estamos hoje? É importante saber como nós estamos e como vamos estar lá para a frente. É de extrema importância estar sempre se programando.

Quando o meu sogro me convidou para assumir o cargo de diretor-presidente, há mais de quatro décadas, peguei um rabo de foguete porque não houve um processo de preparação da sucessão. E já naquela época, pensei que esse erro não se repetiria no futuro. Por isso, desde 2012 houve um processo de sucessão e profissionalização da empresa. Quatro sócios participaram da preparação para a minha sucessão, entre eles a Andrea. Ela foi a escolhida, mas não pensem que o cargo caiu no colo dela. Todos se prepararam, e muito.

Andrea está na empresa há vinte anos. Ela tem MBA em gestão empresarial pela Fundação Dom Cabral, especialização

**A opção pelo franchising foi outra estratégia adotada pela empresa para fortalecer a marca.**

em liderança pela FDC/Kellogg School of Management, em Evanston (EUA), participação no Instituto de Estudos Empresariais (IEE) e experiência na área internacional, visto que foi responsável por implantar a área comercial de exportação na Bibi e conseguiu expandir as vendas internacionais para além da América Latina.

Ela assumiu o posto de CEO no dia 25 de abril de 2019, data em que a empresa completou setenta anos, indicada pelos diretores e pelo Conselho Consultivo. Eu passei a atuar como presidente do Conselho Consultivo, ao lado de Cristina Franco, empresária e ex-presidente da Associação Brasileira de Franchising; e de Volnei Garcia, da Fundação Dom Cabral. A diretoria seguiu a mesma, com a minha segunda filha, Camila Kohlrausch, como diretora de desenvolvimento de produto, marketing e franquias; Rosnei Alfredo da Silva, como diretor administrativo e financeiro; e Rosnaldo Inácio da Silva, como diretor de competitividade. Andrea costuma dizer que a sucessão foi bem organizada e saudável: "Nosso intuito é tornar a Bibi ainda mais competitiva, seguindo as diretrizes e os valores da empresa, e tendo como principal norteador nosso propósito, que é 'pra criança ser criança'. Assumo a terceira geração recebendo uma empresa saudável em todas as frentes de negócios e com a missão de tornar a Bibi uma marca global de desejo. Vamos evoluir o legado deixado pelo Marlin".

Das minhas três filhas, a única que não seguiu o caminho do empreendedorismo foi a Daniela Kohlrausch. Formou-se em Medicina. Desde quando elas eram pequenas, eu costumava me levantar às 6 horas da manhã e acordar, uma a uma, as mulheres de casa. À minha esposa, Suzana, eu dizia: "Suzana, acordamos para vencer!".

A mesma rotina era feita nos quartos das meninas, como lembra a Camila: "Camila, acordamos para vencer!". Eu acordava espantada e dizia para mim mesma: "só pode ser louco. Uma pessoa acordar, todos os dias, com essa motivação, só pode ser louco!".

Muito prazer, esse sou eu, Marlin Kohlrausch.

# Capítulo 2
## CULTURA: NÃO EXISTE UM SÓ SAPATO PARA TODOS OS PÉS

São 7 horas de uma manhã de céu cinzento na Serra Gaúcha. No pátio central da fábrica de Parobé, mais de 1.300 colaboradores – da área de produção à direção – estão reunidos para um "Bom Dia, Empresa". Um bate-papo rápido. Não mais que cinco minutos. O burburinho cessa quando os primeiros avisos começam a ser dados ao microfone. Na pauta do dia, estão os avanços do mercado calçadista no Brasil e no mundo, as metas que estão prestes a serem batidas, as novas lojas abertas país afora, os resultados das vendas do mês e a chegada de um grupo que visitará a fábrica. Naquele dia, não houve apresentação artística; também não era o primeiro dia do mês, quando juntos cantamos o Hino Nacional. Era uma manhã comum.

De longe eu os observava um a um e via em seus olhos atentos o interesse pelos temas que estavam sendo tratados. Vez ou outra, surgia uma pergunta, uma opinião, uma contribuição a ser dada. Por muitas vezes, refleti sobre o quanto aquela conversa rápida tinha ganhado importância desde o início dos anos 1990, quando comecei a estruturar o novo jeito de pensar e fazer as coisas dentro da Bibi. Durante muitos anos, eu mesmo fiz questão de conduzir esses encontros até que virassem rotina, fizessem parte do cotidiano das fábricas da Bibi Calçados, seja no Rio Grande do Sul, seja na Bahia. No começo, conduzia as conversas diariamente, mais adiante, apenas às segundas-feiras, dando voz à direção nos demais dias. Aos poucos, as pessoas foram ganhando confiança e tomando a palavra. O "Bom Dia, Empresa" é um momento de encontro, de troca, no qual a liderança tenta alinhar pessoas diferentes, com vontades e ambições diferentes, para que juntas alcancem o resultado desejado. Ninguém começa a trabalhar sem antes participar do "Bom Dia, Empresa". Há mais de 25 anos, essa rotina se repete diariamente, faz parte do DNA da Bibi, integrou-se à cultura da companhia.

Moldar a cultura de uma organização não é fácil. Exige esforço, persistência, muita disciplina, determinação, envolvimento, engajamento e lideranças firmes, capazes de colocar a teoria em prática todos os dias, a cada minuto. A cultura de uma marca está diretamente ligada ao porquê de as pessoas fazerem o que fazem dentro da organização, ao modo como a empresa resolve os problemas, à maneira como lida com a trama organizacional que sustenta ou não as vantagens competitivas do negócio. Inclui tudo o que é notado e tudo o que não é facilmente percebido, como mentalidades e crenças.

A especialista em programas de transformação da cultura de larga escala, Carolyn Dewar, que também integra o time de sócios da consultoria McKinsey, no artigo *Culture: 4 Keys to Why it Matters*, publicado em 2018 no site da companhia, afirma que o que separa as organizações com melhor desempenho das demais é a cultura. Ela está certa. É a cultura que permite que uma vantagem competitiva se sustente e cresça com o tempo. E por quê? Porque, como escreve Carolyn:

> *Empresas com cultura bem enraizada oferecem retorno 60% maior do que as medianas e 200% mais alto que as que pouco ou nada trabalham o conceito. Os resultados são embasados nos dados do Organizational Health Index, desenvolvido pela McKinsey.*

Cultura é difícil de copiar. Com o ritmo de inovação cada vez mais acelerado, as chances de produtos e modelos de negócios se tornarem obsoletos são muito grandes. Nesse contexto, a vantagem competitiva final está na estruturação de uma cultura saudável, que se adapta automaticamente às condições de mudança para encontrar novas maneiras de alcançar o sucesso.

Em um mundo de mudanças constantes, as companhias com culturas saudáveis prosperam. O estudo feito pela McKinsey é claro: cerca de 70% das transformações falham e 70% dessas falhas têm relação com as questões de cultura das empresas.

Mas qual a definição de cultura? De acordo com o *The Business Dictionary*, a cultura organizacional inclui as expetativas, as experiências e a filosofia da organização, bem como os valores que orientam o comportamento dos membros e são expressos na autoimagem, no funcionamento interno, nas interações com o mundo externo e nas expectativas futuras.

Sob esse conceito, a cultura envolve as atitudes no ambiente de trabalho, as regras formais e informais seguidas pelas equipes, as crenças, os costumes, os hábitos, a visão, os valores, as normas, os símbolos, a linguagem, a estrutura física. A expressão da cultura é feita pelas pessoas envolvidas nos processos, especialmente os colaboradores, e não pelas regras formais ou pelo que a empresa gostaria que fosse. Gosto de enfatizar que a cultura organizacional não é definida apenas pelo que a empresa prega nos seus manuais e valores, mas pelo que ela exerce no dia a dia, junto com os colaboradores, os diretores, os clientes, os fornecedores e a sociedade em geral.

Há três elementos que compõem uma cultura: comportamentos, sistemas e práticas. Todos gerados por um conjunto abrangente de valores, uma missão bem definida e a visão clara de onde a empresa quer chegar. Na Bibi, somamos a esse conjunto o nosso propósito e reforçamos cada um desses conceitos dia após dia. São eles:

- **VISÃO:** ser uma marca global de desejo.
- **MISSÃO:** contribuir para o desenvolvimento feliz e natural da criança.
- **VALORES:** empatia com o cliente, "nossas pessoas", gestão para resultados, inovação e aprendizagem, transparência e credibilidade, agilidade e simplicidade.
- **PROPÓSITO:** ser uma marca global de calçados infantis, que promove o desenvolvimento feliz e natural das crianças: "Pra criança ser criança".

No papel, parece tudo muito simples. A maioria das empresas manda emoldurar essas frases e as pendura na parede. Em muitos casos, a moldura amarela e o papel esfarela, sem que a liderança e a equipe pratiquem o que está escrito. Cultura é mais que um conjunto de valores impressos em um papel bonito exposto na parede. É o alicerce para o desenvolvimento dos colaboradores e do próprio negócio. No livro *Cultura organizacional de resultados – casos brasileiros*, o professor da Fundação Getulio Vargas, Almiro Reis Neto, observa que entre as boas práticas que podem ajudar a estruturar a cultura organizacional estão: a criação de uma declaração de valores, a capacitação de líderes como agentes da cultura, o registro de um código de ética e o uso de símbolos visuais que representem os valores da empresa. Para ele, às vezes a cultura começa a ser percebida pelo prédio, pela roupa, pela percepção, pelos artefatos – e, depois, vai se aprofundando no jeito de falar, nas estratégias e nas políticas empresariais. O que não pode é ficar apenas na comunicação e não partir para a prática.

O ideal é que a visão, a missão, os valores e o propósito sejam construídos em conjunto com todo o time para que todos remem na mesma direção. E não adianta insistir em empurrar essa tarefa para o dia seguinte. Construir a cultura da empresa a partir desses pontos é essencial para companhias de todos os portes. Contudo, isso não significa que a cultura deva ser criada para agradar a gregos e troianos, dos colaboradores aos fornecedores, passando pelos clientes e pelo próprio mercado. O importante é construir uma cultura forte e peculiar o suficiente para que a pessoa que se engajar e abraçar o desafio – ou, como se dizia no passado, vestir a camisa da empresa – não pense em trabalhar em outro lugar.

Jeff Bezzos,[1] fundador da Amazon, considerada uma das empresas mais inovadoras do mundo, definiu essa postura muito bem na carta que escreveu aos acionistas. O documento acompanhou o relatório anual da empresa, em 2015, ano em que a varejista alcançou 100 bilhões de dólares de faturamento e foi muito criticada por sua cultura excessivamente dura:

> Uma palavra sobre culturas corporativas: para o bem ou para o mal, elas são duradouras, estáveis, difíceis de mudar. Elas podem ser uma fonte de vantagem ou desvantagem. Você pode até colocar no papel a sua cultura, mas quando você fizer isso você a estará descobrindo, não a criando. A cultura de uma empresa é criada lentamente ao longo do tempo pelas pessoas e pelos acontecimentos, pelas histórias de sucesso e fracasso do passado que se tornaram uma parte profunda da tradição da empresa. Se for uma cultura distinta, única, cairá como uma luva para algumas pessoas. Para outras, não. A razão pela qual as culturas atravessam o tempo é porque as pessoas se autosselecionam. Alguém com forte apelo competitivo pode se encaixar e ser feliz em uma cultura, enquanto alguém que gosta de ser pioneiro e inovador pode escolher outro caminho. Felizmente, o mundo está cheio de culturas corporativas de alta performance,

---

[1] JEFFREY PRESTON BEZOS (1964-) – empresário norte-americano, fundador e CEO da Amazon, quarta maior empresa de varejo do mundo, com faturamento de 233 bilhões de dólares em 2018. Em 2000, abriu a Blue Origin, que começou a testar voos para o espaço em 2015. Em 2013, comprou o jornal The Washington Post por 250 milhões de dólares em dinheiro. Sua fortuna é estimada em 113 bilhões de dólares.

mas muito distintas entre si. Nunca afirmamos que nossa abordagem é a correta – apenas que é nossa – e nas últimas duas décadas, reunimos um grande grupo de pessoas que pensam da mesma forma. Pessoas que acham nossa abordagem estimulante e com significado.

Ao afirmar que para algumas pessoas a cultura organizacional da Amazon cai como uma luva e para outras não, Bezzos levanta uma questão importante: a da política de contratação e retenção de talentos na empresa. A cultura organizacional numa metáfora bem simples funciona como a cola que mantém uma organização unida. Assim, deve ser um ponto-chave a ser observado na hora de qualquer contratação. É importante entender, contudo, que contratar pessoas pensando na cultura não significa empregar pessoas com perfis iguais. Os valores e os atributos que constroem uma cultura organizacional podem e devem ser refletidos em uma força de trabalho muito diversificada.

Outro empreendedor tido como referência internacional quando o assunto é cultura empresarial é Tony Hsieh, um dos fundadores da Zappos, loja virtual norte-americana que vende sapatos e roupas, que adotou a velha prática de colocar visão, missão e valores no papel, porém, de uma forma bem diferente. Ele criou o livro de cultura da companhia, *The Zappos Family Culture Book*, escrito por quem mais entende o jeito de trabalhar na Zappos: seus próprios colaboradores. Uma atitude ousada, mas eficiente. Com foco principal na própria equipe, o livro oferece um novo manual a cada ano sobre a cultura da companhia. Mostra o que cada um dos dez valores da empresa – entregue o serviço *WOW* (Uau!); adote e incentive a mudança; crie diversão e um pouco de esquisitice; seja aventureiro, criativo e cabeça aberta; persiga o crescimento e o conhecimento; construa relacionamentos abertos e honestos; construa um time

**O ideal é que a visão, a missão, os valores e o propósito sejam construídos em conjunto com todo o time para que todos remem na mesma direção.**

positivo e com espírito de família; faça mais com menos; seja apaixonado e determinado; e seja humilde – significa para os colaboradores, ele abusa das fotos e reforça o comprometimento com a satisfação plena do consumidor, com a oferta de uma experiência de compra on-line que procura propor o melhor serviço possível.

Ao vender a Zappos para a Amazon, em 2010, apenas onze anos depois da sua fundação, ele deixou claro que para ele o maior ativo da companhia é a sua cultura:

> A longo prazo queremos que as pessoas associem a Zappos com uma empresa que presta um excelente atendimento, que oferece serviço de qualidade, e não apenas com a venda de sapatos. Temos um ditado que levamos a sério: somos uma grande empresa de serviços que, por acaso, vende sapatos. E roupas. E bolsas. E acessórios. E eventualmente tudo e qualquer coisa.

Talvez Walt Disney seja um dos maiores exemplos de empreendedor capaz de criar uma cultura empresarial com identidade e propósito, a qual virou exemplo para outras grandes companhias e se perpetua por décadas, mesmo depois da sua morte. Disney colocou em prática o que o guru empresarial Jim Collins[2] – de quem sou leitor assíduo – batizou de cultura-culto:

> Construa uma cultura semelhante a um culto: os criadores de empresas visionárias não confiam apenas em boas intensões ou em "declarações de valores". Eles constroem culturas semelhantes a cultos em torno de suas ideologias principais. Walt Disney criou uma linguagem inteira para reforçar a ideologia de sua companhia. Os funcionários da Disney são "membros do elenco". Os clientes são "convidados". Os trabalhos são "partes de uma performance". A Disney exige que todos os novos funcionários participem do curso de orientação "Tradições da Disney", em que eles aprendem que o negócio da empresa é "fazer as pessoas felizes".

---

[2] JAMES C. "JIM" COLLINS (1958-) – nascido nos Estados Unidos, é consultor de negócios, fundador do Laboratório Boulder, focado no estudo e no desenvolvimento de temas como gestão e liderança. É autor, entre outros, dos livros de: *Empresas feitas para durar – Práticas bem-sucedidas de empresas visionárias* (1994); *Empresas feitas para vencer* (2001); e *Como as gigantes crescem* (2009).

Toda vez que é questionado sobre o segredo das empresas feitas para durar, Collins afirma que um dos pilares é não depender unicamente de um bom líder para se manter em pé. Ele afirmou em uma palestra que ministrou em São Paulo que:

É melhor construir um relógio que pode dizer as horas mesmo quando você não está lá. A essência para a perenidade é construir uma grande cultura, uma forma de agir, para que a organização se torne excelente. Em uma empresa excelente, a estratégia não aponta para a cultura da empresa, mas a cultura é a própria estratégia.

Quem nunca ouviu (ou leu) uma das frases mais famosas do mundo corporativo: "A cultura engole a estratégia no café da manhã". Atribuída a Peter Drucker,[3] o grande nome da administração moderna, a afirmação deixa claro que não há estratégia que resista à força de uma cultura bem implementada. Assim, se a estratégia não estiver alinhada com a cultura da companhia, não se deve sequer cobrar a sua prática pelos colaboradores. Quem quiser fazer essa cobrança perderá tempo e dificilmente alcançará algum resultado.

Como diz Almiro Reis, não existe um só sapato para todos os pés, ou seja, não existe uma só cultura organizacional que seja a melhor e traga garantia de resultado para todos os tipos de empresa. O que existe em comum é a necessidade de gerar culturas, entendendo que a cultura organizacional afeta diferentes aspectos da empresa – e que, por isso, deve estar aberta a atualizações. A palavra certa é evolução. As culturas mais bem-sucedidas não são rígidas, vão se adaptando às necessidades que surgem.

Eu concordo com esse pensamento. A cultura vigente na Bibi até o final da década de 1980 era como na maioria das empresas: marcada pelo medo e pela desconfiança dos colaboradores em relação à empresa e desta em relação aos colaboradores. Atravessávamos um período difícil de quase falência, demissão de dois mil funcionários, baixa autoestima e pouco comprometimento dos colaborados remanescentes. Havia, portanto, uma grande necessidade de adoção de novas práticas organizacionais para resolver as questões que o modelo de gestão anterior não conseguia atender. Era necessário criar um

---

[3] PETER FERDINANDER DRUCKER (1909-2005) – escritor, professor e consultor administrativo de origem austríaca. É considerado o pai da Administração Moderna. É autor de mais de trinta livros, entre eles: *Inovação e espírito empreendedor* (1985), *Sociedade pós-capitalista* (1993), *Administração em tempos de grandes mudanças* (1995) e *Desafios gerenciais para o século XXI* (1999).

ambiente de confiança; de transparência; de gestão à vista, no qual os colaboradores, os fornecedores, os parceiros e os visitantes tivessem acesso a todas as informações; e de comprometimento das pessoas em atingir metas. Enfim, era preciso criar um ambiente inovador. Diante desse cenário, foram discutidas e implementadas várias práticas organizacionais que se institucionalizaram na empresa ao longo do tempo e que contribuíram para que a Bibi tivesse um clima propício à inovação.

Esse quadro representa o que dá sustentação para nossa cultura.

Boas doses de autoestima, empatia e afetividade formam os pilares de sustentação da cultura da marca Bibi. Somam-se a eles: comprometimento e engajamento, transparência, espírito desarmado, esforço × conquista, alavancagem, concessão × conquista, além de espaços vazios e negativo × positivo:

- **AUTOESTIMA:** é preciso resgatar a autoestima das pessoas dia a dia, minuto a minuto.
- **EMPATIA:** é preciso se colocar no lugar do outro; quando a liderança se coloca no lugar do colaborador, ele também se coloca do lugar da empresa.
- **AFETIVIDADE:** é preciso criar um ambiente positivo, festivo no trabalho, porque as pessoas passam a maior parte do seu dia na empresa.
- **COMPROMETIMENTO E ENGAJAMENTO:** é preciso buscar o engajamento do time interno, dos fornecedores, dos franqueados e dos clientes, ou seja, de toda a cadeia produtiva; é uma missão diária.

- **TRANSPARÊNCIA:** é preciso praticar um dos maiores valores da companhia, é de fundamental importância. A transparência tem uma relação muito próxima com a confiança. O caminho é a prática da gestão à vista, com números claros expostos por todos os lugares.
- **ESPÍRITO DESARMADO:** é preciso baixar a guarda para saber ouvir e buscar o entendimento a partir de diversos pontos de vista.
- **CONCESSÃO × CONQUISTA:** é preciso valorizar o esforço das pessoas, elogiar os resultados alcançados. É algo fundamental para alcançar as metas.
- **ALAVANCAGEM:** é preciso ajudar quem não vai bem a performar melhor.
- **ESFORÇO × RESULTADO:** é preciso premiar as conquistas e praticar a meritocracia.
- **ESPAÇOS VAZIOS:** é preciso que a empresa preencha seus espaços vazios, com transparência e sinceridade; quanto mais informação, melhor.
- **NEGATIVO × POSITIVO:** é preciso olhar o lado positivo das pessoas, das coisas, da empresa.

## ENDOMARKETING, VOCÊ SABE O QUE SIGNIFICA?

O modelo de gestão adotado pela Bibi foi construído ao longo do tempo, por meio de um processo de aprendizagem e desenvolvimento da base de recursos e competências, na década de 1980.

A mudança organizacional com a adoção de uma nova cultura de transparência e de resultados com a criação de um ambiente inovador representou um divisor de águas na trajetória da companhia, gerando uma série de práticas organizacionais que se institucionalizaram de maneira gradativa. Confesso que eu sabia que era preciso mudar, mas não sabia exatamente como. Fui buscar ajuda de especialistas e consultorias. Iniciamos o desenho de um novo caminho, no intuito de encontrar o norte cultural da empresa.

Pouco a pouco começamos a colocar em prática alguns projetos que hoje são definidos como endomarketing, um conceito que fui conhecer a fundo algum tempo depois. O termo "endo" tem origem na palavra grega "*edón*", que significa "para dentro", deixando claro que o endomarketing visa satisfazer os clientes internos da companhia. Foi o consultor empresarial Saul Bekin quem apresentou a palavra endomarketing aos brasileiros, inclusive a mim. Para ele, o termo corresponde à parte não visível do marketing, mas que, mesmo assim, consegue viabilizar o sucesso do marketing tradicional fora da empresa. O endomarketing se ajusta às estratégias da administração de marketing clássica, melhorando o ambiente interno das organizações.

Na sua definição, endomarketing é um modelo de gestão dotado de uma filosofia e de um conjunto de atividades que faz uso de políticas, conceitos e técnicas de recursos humanos e marketing. Tem como função principal integrar todas as áreas e níveis organizacionais e fazer com que os colaboradores estejam motivados, capacitados, bem informados e orientados para a satisfação dos clientes.

No entendimento de Philip Kotler,[4] considerado o pai do marketing, o endomarketing é uma tarefa bem-sucedida de contratar, treinar e motivar colaboradores hábeis, que desejam atender bem aos seus consumidores. Na sua visão, a associação estabelecida entre o marketing interno, o treinamento corporativo e a motivação dos colaboradores são fundamentais para a satisfação dos clientes. Por isso, a principal finalidade dessa área é desenvolver um sentimento de orgulho na medida em que os funcionários são informados da situação e do desempenho da organização, seus produtos, seus serviços, seu crescimento, entre outros aspectos.

Há mais de trinta anos, a Bibi apresenta os balanços aos seus funcionários, e não somente aos sócios. Revela quanto estava previsto, quanto foi realizado. Se o balanço foi positivo, há prêmios de produtividade e participação nos lucros, que acumula de seis em seis meses. A empresa é aberta e tem uma gestão à vista em todas as áreas. Tudo é muito claro: quanto vendeu, quanto comprou e assim por diante. Investimos na transparência total. E esse comportamento nós colocamos em prática também em nossas franquias. Realizamos dois encontros anuais com os franqueados, nos quais apresentamos todos os números. O mesmo acontece em relação aos fornecedores. Paralelamente, temos a gestão para verificar quanto entrou de negócios nas franquias, nas lojas próprias, nas multimarcas e na exportação. Revelamos as datas de abertura de novas lojas e até se os projetos estão atrasados ou não. Tem gestão à vista para tudo quanto é lado, todo mundo sabe o que acontece dentro da empresa.

Eu acredito que um dos principais problemas das empresas na busca por um maior engajamento dos colaboradores se dá porque o conhecimento dos números e das ações fica restrito a poucas pessoas, não há transparência, falta

---

[4] PHILIP KOTLER (1931-) – natural de Chicago, Estados Unidos, foi considerado em 2005 o maior especialista em prática de marketing e o quarto maior guru de negócios pelo jornal *The Financial Times*. Entre suas obras destacam-se: *Marketing de A a Z* (2003), *Capitalismo em confronto* (2015) e *Marketing 4.0* (2017).

comunicação. Na nossa organização, não. Com todas as informações à disposição, o pessoal luta para trazer um resultado melhor e você faz com que cada colaborador seja um sócio, pense como dono. E esse é o princípio básico da Bibi para buscar o engajamento: que todos pensem como se fossem proprietários, fazendo o melhor produto para encantar consumidores de qualquer parte do planeta.

Na minha visão, a transparência tem uma relação muito próxima com a confiança. Tem muito empreendedor que omite quando o resultado não foi bom. Nós falamos não só que não foi bom, mas explicamos por que não atingimos nossos objetivos. Desde 2018 até a publicação deste livro, a Argentina tem atravessado um período econômico difícil e isso tem impactado os nossos resultados de exportação. Eles são parceiros importantes e deixamos claro para todos que o número aquém das expectativas é reflexo da instabilidade no país vizinho. Eu sempre falo que o imposto mais alto que existe é a falta de confiança. Se uma empresa não tem transparência, ela alimenta a desconfiança.

Praticar a transparência diminui as chances e o grau de desconfiança, mesmo que isso seja cultural. Nós temos uma fábrica na Bahia há mais ou menos vinte anos. Foi muito difícil implantar a cultura do endomarketing por lá, bem mais trabalhoso que na unidade do Rio Grande do Sul. Levou anos para eles acreditarem que o que estava sendo dito e proposto seria cumprido.

O endomarketing mantém suas bases no encorajamento da interação entre os colaboradores e a empresa. Os seus fundamentos são uma combinação de atividades entre o marketing e a administração de recursos humanos da companhia, uma vez que ambos os setores trabalham de forma integrada, com o propósito de ampliar o envolvimento dos colaboradores com a empresa. A comunicação gera motivação. Uma vez que a empresa possui colaboradores esclarecidos sobre o que deve ser feito para melhorar o seu desempenho, a proatividade e a empatia deles se tornam mais eficazes.

> **Com todas as informações à disposição, o pessoal luta para trazer um resultado melhor, você faz com que cada colaborador seja um sócio, pense como dono.**

Com esse conceito, o endomarketing pode ser visto como um processo integrado e alinhado ao planejamento estratégico, visando ao aumento e à melhoria da comunicação e do desempenho.

Ao longo de pouco mais de duas décadas, a Bibi desenvolveu vários programas, além do "Bom Dia, Empresa", tendo por base os conceitos de endomarketing, que foram temas do meu livro *Leve sua empresa ao 1º lugar*. Alguns deles compartilho a seguir:

- **BOM DIA, EMPRESA:** prática que visa preparar todos os colaboradores e a direção para as atividades do dia, na qual são anunciados metas, resultados e notícias do mercado. Promove o engajamento e permite que todo mundo fique sabendo de tudo. A participação de todos é estimulada, porque falar em público ajuda a desenvolver as pessoas, a consolidar a autoestima. Acontece diariamente nas unidades do Rio Grande do Sul e da Bahia.

- **ATENDIMENTO COM QUALIDADE:** todo atendimento tem de ser diferenciado e com qualidade. Na Bibi, não temos filas para atendimento. Se o horário marcado é 14 horas, então a pessoa será recebida às 14 horas, nem cinco minutos antes, nem cinco depois. O atendimento dos fornecedores é feito de pé, para ser mais assertivo e produtivo. Um dia por mês é reservado para que fornecedores e parceiros venham nos apresentar algum produto ou serviço novo. É o único dia que temos ordem de atendimento de acordo com a hora de chegada. É muita gente, não tem como ser diferente. A todos procuramos dar uma resposta. Eu fico indignado quando ligo a primeira, a segunda, a terceira vez e a pessoa não retorna. Nossas equipes são instruídas a dar retorno a todas as ligações recebidas, isso faz parte do atendimento.

- **PROJETO POLAR:** POLAR quer dizer: padronização, ordem, limpeza e arrumação. Isso significa que dentro da fábrica, seja no Rio Grande do Sul, seja na Bahia, se trabalha sob a mesma perspectiva, de acordo com o mesmo modelo de grupos, ilhas, times diferenciados compostos de cerca de cem pessoas. Cada grupo produz entre 1.300 e 1.500 pares de calçados por dia. Nas lojas, também é respeitado um padrão de atendimento. Trabalhamos, segundo o programa POLAR, a participação nos lucros, que envolve 10% no semestre, além de prêmios mensais de produtividade. Em setembro de 2019, por exemplo, praticamente 100% do grupo nas duas unidades fabris recebeu acima de 15% de prêmios. Uns garantiram 17%, outros 18% e alguns 20%. Isso faz com que a pessoa vista a camisa, permaneça engajada.

- **PROJETO BG:** ou, em bom português, Bunda Grande. Nós trabalhamos internamente fazendo muita analogia com o futebol, um esporte que todos adoram no Brasil. Assim, para tornar o time campeão, é preciso ter um bom treinador que faça o time andar. O Projeto Bunda Grande, em outras palavras, refere-se ao líder que fica sentado na cadeira esperando que os problemas tenham solução no lugar de tocar o barco junto com as pessoas. Uma vez por mês nós fazemos uma reunião de trinta minutos, que conta com a participação de representantes de todas as áreas. O objetivo é mostrar como a empresa está se comportando, reafirmar nossa cultura, porque isso precisa ser constantemente repetido, e mostrar para onde estamos caminhando. Tudo isso para que eles se desenvolvam. É importante que eles se conheçam, interajam, busquem em conjunto melhores resultados para as suas atividades.

- **PROJETO ALAVANCAGEM:** não adianta afirmar o contrário, sempre há ovelhas negras em um rebanho, e nos negócios não é diferente. Quando alguma pessoa não está performando bem, está saindo dos trilhos e não está correspondendo ao que é esperado dela, ela passa pelo nosso processo de alavancagem. Os responsáveis pela área conversam uma, duas, três, muitas vezes, apontando o realinhamento. Mas, se mesmo assim a pessoa não se alinhar com o projeto de engajamento da Bibi, o próprio grupo se encarrega de tirá-la da equipe. Trata-se de um processo bastante forte. Essa cultura prova que se as empresas lutarem pela cultura do engajamento, elas terão resultados maravilhosos. Desde que começamos a trabalhar com esse modelo de gestão, o turnover caiu e está próximo de zero.

- **PROJETO SILOS:** você conhece silos de milho e de soja? Pois os silos organizacionais funcionam no mesmo modelo. Eles surgem quando uma empresa não é capaz de fazer com que seus setores se comuniquem e cooperem para o sucesso do negócio. Imagine, então, os silos onde estão guardados os grãos nas fazendas. Eles são capazes de conservar perfeitamente os grãos no seu interior após a colheita – no entanto, os alimentos de silos diferentes não se misturam e permanecem separados durante todo o tempo. Os silos organizacionais podem se referir a departamentos, colaboradores e equipes em uma organização, que acabam sempre trabalhando de forma isolada, não se comunicando ou cooperando para o sucesso do trabalho de outras equipes e da empresa como um todo. Geralmente, as companhias na quais os silos organizacionais ocorrem são aquelas em que não há preocupação com a comunicação efetiva ou com a manutenção da cultura da própria empresa. Ambientes de trabalho nos quais os funcionários não se sentem à vontade para expor as próprias ideias ou contribuir além da sua função também acabam apresentando os silos como modelo de funcionamento interno.

- **PROJETO OUVIR:** saber ouvir é uma das coisas mais difíceis de serem praticadas, principalmente entre os líderes e os diretores. Nós temos dois ouvidos e uma boca, mas a gente quer falar mais e ouvir menos. Temos de saber ouvir. Aprendi com um grande especialista do Instituto Europeu de Administração de Empresas (Insead), na França, o valor de saber fazer as perguntas e ouvir as respostas. A liderança precisa saber fazer as perguntas certas, saber ouvir as respostas e aprender a interpretar o que está sendo falado. Depois, fazer uma síntese e debater o tema em reunião.

- **UNIVERSIDADE BIBI:** ter um time forte ajuda as organizações a atravessar as adversidades, passar com menos risco pelas crises e pelas tempestades. Procuramos desenvolver nossas lideranças dentro da empresa, dificilmente pegamos alguém do mercado, procuramos dar oportunidade para todos. O tempo todo temos cursos internos, nos quais os instrutores são os próprios colaboradores. Também temos acordos com universidades e incentivamos nossos colaboradores a voltar à sala de aula, a fazer cursos de línguas, principalmente inglês e espanhol, e a buscar atualização e aperfeiçoamento.

- **FÁBRICA DE TALENTOS:** tem sido uma emoção muito grande. Nós selecionamos jovens tanto da fábrica gaúcha quanto da unidade da Bahia para participar de um projeto de imersão. São 1.200 horas de treinamento para que eles tenham uma visão completa da Bibi como organização. Ao conhecer mais a fundo como trabalhamos, muitos acabam decidindo o que querem fazer no futuro. Nós trabalhamos fortemente no processo de educação dos jovens.

- **CÓDIGO DE CONDUTA E ÉTICA:** faz parte de todos os nossos treinamentos. Todo colaborador ao ser admitido toma conhecimento da missão, da visão, dos valores e do propósito da Bibi, da nossa conduta interna e da nossa forma de relacionamento com o mercado, os parceiros, os fornecedores, os clientes e os franqueados. Esse processo é dividido em cinco grandes blocos: Nosso Relacionamento Externo; Nosso Relacionamento Interno; O Relacionamento da Bibi com Você; O Relacionamento de Você com a Bibi; O Relacionamento de Você com o Outro. Cada um aponta os principais pontos a serem observados e adotados na rotina da companhia. Sempre orientamos nossos colaboradores e parceiros a não voltar a uma loja que não dá cupom fiscal ou nota fiscal.

- **ENCONTROS AFETIVOS:** são reuniões informais realizadas uma vez por mês, desde 1991, com pessoas de diversos setores, convidadas pelo RH, e com a participação, na maioria das vezes, da presidência. O objetivo é estreitar as relações entre as pessoas que convivem na empresa, independentemente do nível hierárquico. Após as apresentações individuais, um dos colaboradores é sorteado para falar do seu trabalho e sobre o assunto em pauta no dia.

- **COMO ESTOU HOJE:** ao mesmo tempo em que valoriza a pessoa como indivíduo, relembra que os colaboradores não são máquinas, têm alteração de humor. Diariamente ao chegar ao local de trabalho, existe um quadro na parede em que cada colaborador coloca ao lado de sua foto e nome o desenho de uma "carinha" colorida que indica o seu humor. Ele pode escolher entre as cores vermelha, amarela e verde. O vermelho indica que o colaborador está com problemas, algo está interferindo na sua capacidade de acompanhar o ritmo de seus companheiros de trabalho; o amarelo mostra normalidade; e o verde quer dizer excelente humor. A prática permite que se visualize, de um jeito simples, o estado de espírito de cada setor e do conjunto da empresa. Cabe ao líder acompanhar e procurar auxiliar quando o colaborador necessitar.

- **CELEBRAÇÃO:** é adotada toda vez que a empresa deseja transmitir uma boa notícia. Na área administrativa, há um sino que é tocado sempre que se deseja comemorar algo, como a entrada de um grande pedido de calçados feito por determinado país. Outra forma de comemorar é estourando champanhe.

- **PROJETO CAFÉ COM O PRESIDENTE:** acontece uma vez por mês, sempre das 8h30 às 9h, nas duas unidades fabris. Funcionários de diversas áreas conversam com o presidente sobre expectativas, sugerem o que possa agregar aos processos, dão novas ideias e colocam seus pontos de vista sobre os mais variados temas. Os resultados são surpreendentes. Dessa conversa surgem dezenas de pequenas ações que dão confiança à equipe.

- **PLANEJAMENTO E EDUCAÇÃO FINANCEIRA:** há doze anos, criamos uma Cartilha de Educação Financeira, com o objetivo de ajudar nossos colaboradores, nossos franqueados e as pessoas em geral a se organizarem melhor financeiramente. Trabalhamos esse conteúdo desde a admissão do colaborador, para que as pessoas tenham consciência de como gastam seu dinheiro, da importância de poupar para o futuro. Além dos conceitos e das orientações básicas, a cartilha também conta com uma Tabela de Orçamento Doméstico, que ajuda muito a mudar o comportamento financeiro dos usuários.

- **FOCA NA VENDA:** desde 2017, diariamente, durante um minuto, todo o time da Bibi das fábricas e das lojas, além dos franqueados no Brasil e no exterior, recebem em forma de vídeo, com um minuto de duração, os principais assuntos do mercado e dicas práticas para vender mais.

- **SUSTENTABILIDADE:** a Bibi é a primeira empresa brasileira a obter o selo Diamante do Programa de Origem Sustentável, desenvolvido pela Associação Brasileira das Indústrias de Calçados (Abicalçados), pela Associação Brasileira de Empresas de Componentes para Couro, Calçados e Artefatos (Assintecal), pela Universidade de São Paulo (USP) e pelo MIT (Massachusetts Institute of Technology). Nossa estratégia se baseia em quatro dimensões: econômica, social, ambiental e cultural. A conquista foi gradativa, primeiro conquistou o selo Branco, depois o Bronze, o Prata, o Ouro e, por último, o Diamante. Investimos constantemente em ações de sustentabilidade. Entre as mais recentes estão a assinatura do Acordo de Cooperação com a Certificação de Sustentabilidade do Couro Brasileiro (CDCB) e uma nova tecnologia de reaproveitamento dos resíduos do couro. A primeira estimula nossos fornecedores e parceiros a participarem e serem reconhecidos pelo programa, que dissemina as melhores práticas na produção curtidora, com base em três pilares: sociedade, meio ambiente e economia. O segundo diz respeito a uma das nossas grandes preocupações – o descarte correto dos resíduos de couro pela indústria, para que o material não prejudique o meio ambiente. A partir da parceria firmada com a ILSA Fertilizantes Orgânicos, nossos resíduos são transformados em fertilizantes naturais para produções agrícolas. Anteriormente, eram destinados ao processo de coprocessamento, que, além de 29% mais oneroso, não tinha o mesmo impacto. O novo método resulta em um fertilizante natural que proporciona alto desempenho aos produtores agrícolas.

Não é difícil perceber que a cultura organizacional, quando bem aplicada e bem sustentada, alavanca a estratégia do negócio e o modelo operacional com forte impacto na capacidade de execução e nos resultados financeiros. Recentemente, eu me deparei com uma pesquisa da PwC Strategy, que afirma que as empresas que têm uma cultura distinta, capaz de conferir vantagem competitiva, apresentam uma tendência duas vezes maior de crescer mais rapidamente e lucrar mais que a média do seu setor. Além disso, dobra a probabilidade de traduzir em ações a sua estratégia. Eu não tenho dúvida: organizações que entendem e gerenciam as diferentes maneiras como a cultura organizacional contribui para os resultados do negócio e ajuda a promover sua constante adaptação às rápidas mudanças no ambiente alcançam uma poderosa vantagem competitiva. A Bibi é um exemplo dessa realidade.

## REGRAS INEGOCIÁVEIS

Para a empresa saber onde quer chegar respeitando a sua cultura, dando espaço para a inovação e conquistando o consumidor, é preciso ter pulso firme. Mais que isso, é preciso saber claramente o que pode e o que não pode fazer. Por isso, a Bibi criou o que chamou de 10 Regras Inegociáveis. São elas:

- **FAZER NEGÓCIO DENTRO DA ÉTICA.** Vale tanto para o mercado nacional, quanto para o internacional. A Bibi perde o negócio, mas se estiver fora dos seus princípios éticos, não faz.
- **RESPEITAR OS CRITÉRIOS DE SELEÇÃO.** Os novos colaboradores precisam passar por critérios de seleção preestabelecidos e por rituais de integração. Qualquer candidato é entrevistado por, no mínimo, três pessoas. Se é um cargo de direção, essa tarefa caberá ao presidente, ao diretor e ao gestor da área. É preciso respeitar esse processo para contratar as pessoas certas. Esse ritual é um dos pilares do engajamento da equipe.

- **DAR FEEDBACK COMPORTAMENTAL.** É muito importante as lideranças darem feedback às suas equipes. Entre os diretores cumprimos esse processo a cada seis meses, e as lideranças, mensalmente, mas o ideal é que fosse semanalmente.
- **FIDELIDADE AO PRODUTO.** Ser fiel ao produto é essencial, levando sempre em consideração os padrões de qualidade.
- **ESCOLHER OS MELHORES CANAIS.** O consumidor quer o produto independentemente do canal. Assim, trabalhamos para oferecer o mesmo produto, com o mesmo atendimento e a mesma qualidade em todos os canais em que a marca Bibi está presente: lojas próprias, franquias, multimarca, e-commerce.
- **ENTREGA RÁPIDA.** A velocidade de entrega é fundamental à produção de qualquer produto, jamais pode ser lenta.
- **RESPEITO AO PROPÓSITO DA MARCA.** Ser uma marca global de calçados infantis que promove o desenvolvimento feliz e natural da criança, dos pés à cabeça. Essa é a mensagem que levamos em nossas diversas ações de mercado, especialmente por meio da comunicação, sempre utilizando a percepção de valor.
- **RESISTIR ÀS TENTAÇÕES DO MERCADO.** De uma forma geral, o mercado incita ao erro, leva a tentações. Isso vale desde erro de posicionamento da marca até percentuais recebidos "por fora". Se a pessoa não tem bom caráter, vai errar e aceitar ter dinheiro na Suíça ou em qualquer paraíso fiscal. Assim, é preciso ter pessoas de caráter para caminhar com você.
- **SIMPLICIDADE.** O produto deve ser simples, fácil de usar e fácil de comunicar. A faixa de valor deve ser compatível com a disposição do mercado em pagar.
- **GIRO.** Focar em produtos que garantam giro no PDV.

## O TEMPERO BIBI

Por **CRISTINA FRANCO,** membro do Conselho Consultivo da Bibi

Assumi uma cadeira no Conselho Consultivo da Bibi em março de 2017. Naquele verão escaldante, cheguei a Parobé, no Rio Grande do Sul, para dois dias de imersão no universo Bibi. Seguindo a antiga máxima, mas sempre atual, de que você tem cinco segundos para causar uma primeira boa impressão, a Bibi gabaritou! Entrada ampla, bem pintada, limpa, com muito verde e colaboradores sorridentes: aqueles que recebem você e aqueles que circulam concentrados no vai e vem de seus afazeres na sede e na principal unidade fabril transmitem a você a agradável sensação de leveza e bem-estar.

Se tem algo que é genuíno e que não escapa, do mais despretensioso visitante ao mais arguto observador, é o "astral" do lugar, a atmosfera que envolve todos que ocupam o mesmo espaço geográfico do negócio. E quem chega à Bibi já percebe que ali é lugar de pessoas felizes, que estão comprometidas com o que fazem! Dá gosto de ver e de sentir.

Depois de um tour para conhecer o *headquarter* e a fábrica, qual foi a minha surpresa quando o então presidente da companhia, Marlin Kohlrausch, disse: "Bem, antes do almoço vamos plantar uma árvore no bosque que estamos há anos formando, são 40 mil metros quadrados, aqui junto da fábrica, e todos que aqui vêm para de alguma forma contribuir com o propósito Bibi plantam sua árvore". E lá fomos nós! De enxada na mão, realizei minha inusitada tarefa e, depois de fartamente regar minha muda, recebi seu número e o certificado de que ali plantei uma árvore!

Esta foi a primeira de inúmeras demonstrações de que nessa empresa conceitos, métodos e políticas das mais longevas ou modernas, complexas ou simples, não são retóricas ou modismos, mas, sim, estudadas, escolhidas e colocadas em prática no caldeirão cultural que tempera os resultados consistentes e duradouros para toda a cadeia de negócios que a marca envolve.

CULTURA: NÃO EXISTE UM SÓ SAPATO PARA TODOS OS PÉS

## O CLIENTE NO CENTRO DE TUDO

Nada é mais verdadeiro que o olhar de uma criança! E se tem algo de muito sério para a evolução sadia da humanidade é como nos comportamos diante dos nossos pequenos, afinal é neles que está e sempre esteve a simbiose da inovação, da evolução e da esperança na jornada da humanidade em nosso planeta.

A tomada de decisão de atuar junto aos pequenos em qualquer escopo é algo que deve ser feito com muita seriedade e atenção. Na Bibi, o compromisso com os pequenos em primeiro lugar se traduz na definição do propósito da marca: "Pra criança ser criança", e isso é pra valer!!!

A Bibi há setenta anos segue à risca esse compromisso com as milhares de gerações que viu crescer, caminhando mundo afora com seus calçados.

Nela, existe total dedicação para tornar o caminhar dos pequeninos mais prazeroso, confortável e divertido. Em todas as etapas de seu negócio, a empresa executa as suas ações sem perder de vista o seu propósito.

A marca avança sendo a mais inovadora em sua categoria e isso permeia seu caminhar nessas sete décadas. Quando falar em tecnologia e inovação se tornou assunto top trends, a Bibi já exercia seu pioneirismo no Brasil ao utilizar estudos de pediatras, ortopedistas e outros especialistas de saúde infantil para desenvolver seus calçados, o que resultou no desenvolvimento de uma palmilha exclusiva que remete à agradável sensação de andar descalço. A marca desenvolveu uma consistente cadeia de fornecedores e com isso garante material não tóxico para a produção de seus calçados, bem como desenvolveu exclusiva tecnologia para que a água não entre no calçado e o pezinho da criança "respire".

Sua equipe de design percorre os cinco continentes e traduz para os calçados infantis as tendências da moda em cada coleção e com isso mantém em seus produtos a leitura e o frescor que a moda faz dos usos e dos costumes da sociedade.

No varejo, muitas são as pesquisas que apontam que o consumidor vem paulatinamente consolidando seu olhar e sua opção de compra para as marcas que embarcam em seu produto ou serviço de qualidade, no compromisso com o meio ambiente e a sociedade, e que trazem verdade em sua trajetória.

Convivendo com a marca em seu dia a dia, pude vivenciar a tamanha naturalidade com que a Bibi coloca a essência de seu propósito em seus calçados e na relação de compra com o consumidor. Em cada detalhe pensado para o atendimento de crianças e pais e em cada tecnologia escolhida para a evolução de seus produtos, é possível perceber o comprometimento de todos os envolvidos em tornar a experiência da criança ao usar esse produto totalmente alinhada ao propósito da marca, exercitando em cada etapa a expressão de sua verdade.

Quando se trata de estruturar seu contato com o cliente final, a Bibi organiza o posicionamento de preço de suas coleções pautado no desenvolvimento e na pesquisa, para sempre manter o equilíbrio da qualidade embarcada em seus produtos com a acessibilidade a eles, por parte de seu público-alvo.

A constante atualização de visual merchandising de suas lojas próprias e unidades franqueadas visa traduzir seu propósito e amplificar a experiência de compra de seus consumidores mirins. O e-commerce dá a abrangência necessária para que todo o Brasil possa ter acesso às diferentes coleções da Bibi e, por fim, sua rede de distribuidores no Brasil e no mundo faz com que os Calçados Bibi possam estar disponíveis no varejo qualificado global.

Mais do que fabricar e vender calçados (sapatos, sandálias e tênis) – sempre dotados de tecnologia –, a marca realmente leva a sério o

> **Quem chega à Bibi já percebe que ali é lugar de pessoas felizes que estão comprometidas com o que fazem!**

compromisso de produzir o melhor produto para os pezinhos brasileiros e também para os pezinhos que estão em mais de setenta países, para que "crianças possam ser crianças" e seus pais possam ter a tranquilidade de que caminham para o futuro com o melhor calçado para tal, mas com a deliciosa sensação de andar descalço que fica na memória afetiva de todos os adultos.

E isso é um dos maiores patrimônios da Bibi: executar com naturalidade o seu PROPÓSITO! Enquanto muitas empresas estão perdidas nos solavancos de economia e de transformação que assolam os tempos atuais, a Bibi imprime com nitidez e determinação a sua maneira de fazer negócio e com isto tem uma baita vantagem competitiva diante do "bate-cabeça" existencial de muitas empresas do mercado que ainda não conseguiram definir ou sequer descrever a sua missão.

Para entender como uma marca consegue, de maneira clara e simples, expressar a sua razão de existir, precisamos conhecer e contextualizar o "tempero" do convívio diário daqueles que orbitam no universo da marca; precisamos entender a cultura da marca.

Para mim, o "tempero Bibi" se faz com cinco ingredientes:

- **INOVAÇÃO:** é fato que a cultura da Bibi facilita o compromisso de toda a cadeia de negócios em trabalhar harmônica e naturalmente o exercício da busca pelo novo. Um exemplo disso é ver que no dia a dia a participação do colaborador na busca pela inovação ocorre de maneira eficaz e envolvente. Todos são incentivados a apresentar ideias de evolução de produtos e processos, as quais são encaminhadas para o Comitê de Inovação, e quando classificadas são geridas e implementadas no constante ciclo de inovação da marca e, claro, o colaborador é reconhecido e premiado por sua participação. Na linda paisagem que circunda a fábrica, à beira de um lago com muitos peixes, garças, seriemas e incontáveis passarinhos, fica um espaço em forma de quiosque todo envidraçado com o letreiro "Ninho de Inovação". A agradável sensação que o ambiente nos transmite e a presença concreta de um espaço para "gestação" de ideias e projetos convidam a todos, subliminarmente, a participarem e proporem ideias como algo inerente ao dia a dia, sem amarras vinculadas a cargos ou áreas, o que dá fluidez ao processo.

- **VERDADE:** nos tempos atuais, é fato que novos comportamentos de consumo pedem novas formas de posicionamento, de entrega e de comunicação por parte das empresas. O consumidor cada vez mais exigente determina que sobreviverão as marcas cujos produtos correspondam às expectativas criadas pela comunicação. A sinceridade é determinante para o sucesso de uma marca e, com certeza, é um dos quesitos mais valorizados no relacionamento marca-cliente. Na Bibi, o compromisso com a verdade é incontestável. Seus produtos seguem à risca as especificações técnicas definidas e declaradas, que são constantes nos estudos realizados com universidades e associações para o desenvolvimento efetivo das melhores soluções para calçar nossas crianças. Suas declarações e seus posicionamentos na imprensa e em ambientes de negócios são factíveis e auditáveis, enfim, o compromisso com a verdade é considerado patrimônio intangível da empresa. E esse compromisso da marca, em sua essência, é incorporado naturalmente em sua comunicação, dando clareza e confiança nessa troca de mensagens com o cliente.
- **DISCIPLINA:** todos sabemos que ela é o fio condutor para o resultado; é preciso ter disciplina para tudo na vida e isso não quer dizer que ser disciplinado para conquistar um objetivo implica autoritarismo ou imposições. Agir em uma cultura na qual a disciplina propicia que você cumpra suas tarefas, suas metas, traz eficácia para o negócio e treina você para a vida também. Gosto de exemplificar a disciplina cotidiana da Bibi mencionando suas reuniões diárias, pontualmente às 8 horas da manhã, nos escritórios e nas fábricas, em que cada equipe se reúne, em pé, por no máximo quinze minutos, e lá se apontam os objetivos do dia e outras informações que tornarão as próximas oito horas mais claras e produtivas para todos.
- **VELOCIDADE:** num mundo de negócios disruptivos e exponenciais, a velocidade é, sem dúvida, fator crítico para a conquista do sucesso e para a própria sobrevivência da empresa. Identificar

uma oportunidade que não está explícita no mercado, com a qual você tenha uma vantagem competitiva original, e tomar velozmente a decisão de colocar um produto ou serviço para utilizá-la é a equação que vale um milhão de dólares e todos querem acertar ao responder! É necessário que as organizações sejam velozes e também flexíveis para implementar essas oportunidades e com isso atender às expectativas dos clientes. É necessário que os colaboradores se disponham a ser rápidos (ou velozes) em implementar as ideias, desde o momento da tomada de decisão, do planejamento, da pesquisa, da movimentação de materiais, da troca de informações interdepartamentais, da precificação, da criação do material publicitário, do engajamento da cadeia de distribuição e, finalmente, do atendimento ao cliente com maestria e cordialidade. Em 21 de agosto de 2016, domingo, o mundo assistiu à cerimônia de encerramento das Olimpíadas, no Rio de Janeiro. Entre o misto de emoções e considerações que foram feitas sobre as Olimpíadas e a cerimônia em si, algo que encantou a todos e foi pontuado pelo comentarista que fazia a transmissão – poderia ser banal ou corriqueiro aos olhares desatentos de milhões de telespectadores – não passou despercebido aos olhos do time Bibi: os tênis com luzinhas de LED que piscavam em cada passada dos inúmeros atletas da delegação inglesa. A combinação de oportunidade e velocidade dessa perspicaz observação rendeu à Bibi um de seus maiores sucessos de vendas: o tênis Bibi com LED! Esse calçado inovador bateu recorde sobre recorde de vendas em todo o país e virou paixão nacional da criançada no Natal daquele ano!

- **ATITUDE:** a postura de cada um de nós diante dos desafios profissionais e da vida, sem dúvida, é o que explica o nosso sucesso ou insucesso nos campos profissional e pessoal. Nossas atitudes são as responsáveis por gerar o nosso destino, por determinar o nosso cotidiano desde o momento em que acordamos e tomamos o nosso café até a hora em que vamos para a cama adormecer. A visão que temos de nós mesmos e do nosso potencial será determinante para nos guiar diante dos acontecimentos do dia e poderemos encontrar soluções para enfrentar os desafios corriqueiros e complexos. Trabalhar com prazer, ter satisfação com o que realizamos, encontrar as respostas para as dificuldades e sempre manter uma postura positiva em relação às adversidades nos fará prosperar, atingir nossas metas profissionais e pessoais. A empresa pode estabelecer um ambiente profícuo para cultivar profissionais de atitude perante os desafios do negócio e da vida. Quando convivo com os profissionais da Bibi, deparo-me com gente de atitude diante dos fatos da empresa e de suas vidas, e isso é plenamente cultivado na organização. Aqui compartilho o motivo pelo qual isso acontece por lá: a Bibi ACREDITA na sua gente! A Bibi desenvolve as pessoas de dentro e isso é crível a todos os que ali trabalham, pois a maior parte dos profissionais em cargos executivos hoje, na fábrica e no escritório, cresceu na empresa, e assim cada um sabe que vale a pena investir em si mesmo e ter atitude na empresa, pois é factível, empolgante e visível o ambiente propício ao desenvolvimento de carreiras.

Mesmo com toda a instabilidade econômica dos tempos atuais, cada vez mais é incontestável que a sociedade, em todos os níveis socioeconômicos, amadurece e amplia o seu olhar para a relação de compra e vai além do binômio preço × qualidade como principal categoria para exercer o seu poder de compra. As expectativas evoluíram e a marca tem que inspirar e traduzir em sua essência: confiança, agradável experiência de compra, nenhum atrito, contemporaneidade, verdade e propósito – estes são os atributos das marcas que se preparam e se reinventam todos os dias no caótico cenário de transformação exponencial que vivemos atualmente.

A Bibi, no decorrer de sua trajetória, teve muita disciplina para executar as decisões que tomou para exercer seu propósito, fabricar cada parzinho de calçado em suas duas unidades fabris e distribuí-los em seus diferentes canais, e com isso contribuir para que a criança seja criança da cabeça aos pés! Como falei no início deste texto, dá gosto de ver, de sentir e, principalmente nesses dois anos, de participar dessa jornada!

# Capítulo 3
## UM TIME DE PARCEIROS

**M**uito se fala neste final da segunda década do século XXI sobre como as grandes companhias devem se comportar como startups no que diz respeito à agilidade, à capacidade de inovar e, principalmente, à disposição em trabalhar de forma colaborativa. No discurso, todos se dizem capazes. Na prática, porém, a realidade é outra. O desafio se apresenta maior, as barreiras parecem se multiplicar e a cultura presente nem sempre consegue ser flexível a ponto de mudar processos que há anos se mostram vitoriosos.

Sei exatamente quais são esses desafios. Em meados dos anos 2000 demos uma guinada na relação com nossos fornecedores. A ideia era enxugar o quadro e permanecer com parceiros que realmente estivessem dispostos a criar conosco, a desenvolver produtos sob medida para as nossas necessidades, com o que havia de mais inovador no mercado. O impacto foi grande. O grupo antes composto de trezentos fornecedores, caiu para 120, ora mais, ora menos. Entre os critérios de escolha, demos ênfase aos que tinham maior abrangência, praticavam uma cultura mais semelhante à da Bibi e estavam abertos à cocriação – iniciativa de gestão que reúne diferentes partes, a fim de produzir conjuntamente um resultado valorizado por todos os envolvidos. Para os parceiros escolhidos, abrimos os números, mostramos como a empresa está, para onde caminhamos e o que esperamos deles.

O fornecedor é um parceiro muito estratégico, principalmente para o sistema de produção adotado pela nossa indústria. Seguimos o modelo Toyota, que busca diminuir custos e melhorar a qualidade, com corte drástico do desperdício. A metodologia é antiga, do pós-Guerra, mas funciona muito bem ainda nos dias de hoje. Para quem não está familiarizado, o sistema *Just-in-time*, ou JIT como é conhecido, é um modelo de gestão desenvolvido para cortar custos, otimizar processos e ganhar qualidade. Foi aplicado pela primeira vez nos anos 1950 na fábrica da Toyota no Japão. A montadora buscava uma forma de ganhar agilidade na produção para poder alterar o modelo a ser fabricado e produzir em menores quantidades. Tudo feito praticamente sob medida para atender à demanda do mercado. Com esse processo, a indústria, que demorava uma hora para preparar uma prensa de 800 toneladas para moldar para-choques e capôs, conseguiu reduzir esse tempo para apenas doze minutos.

O processo deu tão certo que passou a ser visto como mais uma técnica de gestão de produção, ampliando-se para outras áreas da montadora, como gestão de materiais, qualidade, organização física dos meios produtivos, engenharia de produto, organização do trabalho e gestão de recursos humanos. Rapidamente, o JIT ganhou o mercado, que, independentemente da área, busca a melhora contínua dos processos produtivos.

Num primeiro momento, quando a empresa produz apenas o que é demandado, ganha-se diminuindo a necessidade de espaço no estoque para insumos e mercadorias. Na sequência, os ganhos decorrem da economia com logística e distribuição. Por fim, diminui-se o desperdício de matéria-prima. Conferimos esses resultados na prática. No final da década de 1980, quando decidimos adotar esse sistema de trabalho, a maioria dos fornecedores ficou desconfiada. Eles eram céticos quanto ao funcionamento do JIT em uma indústria de calçados. Foi um trabalho duro. Eu insistia que daria certo, porque o sistema era direcionado à linha de produção, não importa se de carro ou de sapatos.

Para tentar mostrar os benefícios que a mudança traria e que os resultados dependiam também de uma boa parceria, começamos a realizar nossas primeiras convenções de fornecedores. Queríamos deixar bem claro que a nossa estratégia era a do desenvolvimento de parcerias com visão de longo prazo e da expectativa de ganho também a longo prazo. Trata-se de uma visão mais próxima da oriental do que da norte-americana. Nossa visão passa pelo desenvolvimento colaborativo de fornecedores, aproveitando o relacionamento continuado para a distribuição de ganhos referentes ao conhecimento dos diversos integrantes da cadeia de valor. Nessa linha, os fornecedores assumem um papel crucial no processo, deixando de operar como simples "entregadores" de materiais e serviços para se tornarem elementos estratégicos no processo.

Contamos com um time formado por fornecedores do Brasil inteiro, os quais participam do encontro anual, e de fora do país, principalmente da China. Cada um tem a sua expertise. Eles trazem propostas em suas respectivas áreas para que a Bibi possa melhorar processos e produtos. Desafiamos a todos constantemente, sobretudo nas áreas de inovação e sustentabilidade.

## PARCERIA CADA VEZ MAIS AFINADA

Não posso dizer que essa transformação na relação indústria/fornecedor seja fácil. Muito pelo contrário. Exige que a empresa tenha uma cultura bem enraizada e assimilada por todos os colaboradores; e pede altas doses de transparência, confiança e alinhamento entre as partes envolvidas. Fomos moldando as novas relações aos poucos. Primeiro com a rede de fornecedores instalada mais próxima de nossas fábricas. Mais tarde, com parceiros de todo o país e até do exterior. O projeto Bibi Proteção Não Tóxico, iniciado em 2013, foi o primeiro grande exemplo da transformação da relação indústria/fornecedores.

Estruturamos um sistema de homologação, avaliação e qualificação de fornecedores para que, juntos, entregássemos de forma pioneira no Brasil calçados e acessórios livres de qualquer substância tóxica, e como consequência, não causando nenhum tipo de problema à saúde humana. Antes de ser homologado, cada novo fornecedor passa por um criterioso processo de avaliação, no qual são analisadas questões trabalhistas, ambientais, estruturais e financeiras, além de valores e aspectos culturais e éticos. Durante o processo de relacionamento comercial, os fornecedores Bibi passam também por um processo de avaliação anual, com validação da qualidade, eficiência operacional, capacidade de inovação, sustentabilidade e competitividade.

A avaliação não é feita com o objetivo de penalizar erros e não conformidades. Acreditamos que os melhores parceiros devem ser reconhecidos e exaltados. Fornecedores que apresentam oportunidade de melhorias são comunicados formalmente de maneira transparente e estimulados a apresentarem novas soluções. Desde 2008, incluímos o Encontro de Fornecedores no calendário anual da Bibi, com o objetivo de reunir o grupo e alinhar as estratégias de negócios, apresentar oportunidades de melhorias na operação, desenvolver e qualificar nossos parceiros. Durante o encontro, que acontece sempre no mês de fevereiro, apresentamos nossos novos projetos e desafiamos os fabricantes de matérias-primas, insumos, ferramentas e maquinários a apresentarem inovações visando, com isso, incrementar a competitividade e agregar valor para ambos os lados.

No final do processo, acontece a cerimônia de entrega do Oscar do Fornecedor àqueles que mais se destacaram no ano anterior, em sete categorias, entre elas, sustentabilidade, inovação e competitividade. Essa premiação dá uma energia, revigora o setor. Todo mundo quer oferecer uma solução, ser fornecedor destaque e agregar valor à operação.

Pelo menos uma vez por mês, a equipe de compras dedica um dia inteiro para receber aspirantes a fornecedor. É o que chamamos de Dia do Fornecedor. Vem gente do Brasil inteiro mostrar as suas novidades. As conversas são rápidas, feitas de pé para dar mais objetividade. Muitos dos nossos atuais fornecedores surgiram desses encontros. Outros, nós buscamos no mercado, enfrentando sempre um desafio. No início de 2018, nossa equipe começou a pensar em como melhorar a logística de despacho dos calçados. Há cem anos, o setor adota as caixas de papelão corrugadas, que geram volume e ocupam espaço no caminhão. Inspirados na indústria de bebidas, que aposta em packs para transporte de recipientes de vidro, alumínio ou plástico, desafiamos os fornecedores a nos apresentar uma solução inovadora.

Foram meses à procura de um candidato disposto a inovar de verdade, a começar do zero. Foi a gaúcha Roberpack Soluções Inteligentes, de Bento Gonçalves, que resolveu abraçar o desafio. Em reportagem publicada pelo *Jornal Exclusivo* (02/2019, Grupo Sinos), Roberto Ostrzyzeck, diretor comercial, descreve a inovação:

> O Sistema Bundling é um conjunto para embalagem termoencolhível. A solução substitui a caixa master por embalagens termoencolhíveis. O sistema proporciona economia de 85% em peso (volume) e de 80% em economia geral (custos). A cada 1 mil volumes transportados em um caminhão gera uma redução de 3,12 metros cúbicos em área, otimizando o trabalho, em termos de logística.

A Roberpack é uma empresa pequena, portanto, mais flexível para inovar. Trabalhamos no sistema de cocriação, com o desenvolvimento conjunto do maquinário. A Bibi adiantou um valor de cerca de 300 mil reais para que os testes avançassem. O resultado foi surpreendente, gerou uma economia da ordem de

800 mil reais nos custos de logística. A embalagem tipo pack funciona bem para o mercado interno, mas ainda precisa ser aperfeiçoada para exportação. A dificuldade, nesse caso, é em relação à inspeção da alfândega, que abre as embalagens. No caso das caixas de papelão corrugadas, basta passar uma fita adesiva e a embalagem está lacrada novamente. No caso do pack, não. O certo é que a máquina inovadora para a indústria de calçados gerou premiações para a Roberpack e um volume de pedidos superior às suas expectativas. A empresa teve de buscar um sócio para sustentar o crescimento.

Normalmente, os desafios propostos pela Bibi que resultam em inovação permanecem dentro de casa por um período, que pode variar de um a três anos. Depois disso, liberamos o fornecedor para comercializar a inovação no mercado, porque ele também precisa de escala. Assim fizemos, por exemplo, com a tecnologia Drop, baseada em nanotecnologia, que não deixa a água penetrar no tecido do calçado, mas deixa o suor sair, mantendo os pés das crianças sempre secos. Ou, ainda, com os LEDs presentes em alguns dos nossos modelos, que foram desenvolvidos com um parceiro chinês.

Não é difícil constatar que fornecedores e compradores, quando estabelecem um canal de parceria na busca de melhores soluções, encontram vantagens competitivas. A ausência de uma gestão de fornecedores estruturados, por outro lado, compromete o funcionamento da empresa, traz aumento de custos e prejudica a imagem da marca perante o consumidor final.

## INOVAR É SIMPLIFICAR

Steve Jobs, o criador de uma das empresas mais inovadoras do mundo, a Apple, afirma que o "o simples pode ser mais difícil que o complexo. Você precisa dar duro para esclarecer suas ideias e simplificá-las. Mas, no final, acaba valendo a pena, porque, quando chegar lá, você terá o poder de mover montanhas". Para a Apple, a simplicidade é mais que um princípio de design que norteia a criação de cada produto, de cada inovação, é um valor que permeia todos os níveis da organização. No livro *Incrivelmente simples – A obsessão que levou a Apple ao sucesso*, Segall destaca que a obsessão pela simplicidade é o que distingue a Apple das outras empresas de tecnologia e o que a ajudou a ressurgir em 1997 e a se transformar, em 2011, na empresa mais valiosa do planeta. "Graças ao estilo inflexível de Steve Jobs, é possível ver a simplicidade em tudo o que a Apple faz: o modo como é estruturada, o modo como inova e o modo como se conecta com seus clientes".

Confesso que a cada página lida, eu tinha a sensação de que é muito difícil buscar a simplicidade quando as empresas crescem. É difícil acreditar que a simplicidade pode ser uma das forças para tornar as empresas mais poderosas. Poucos são os empreendedores que acreditam no poder da simplicidade. Eu mesmo várias vezes valorizei mais o complexo que o simples. Hoje, no entanto, estou certo de que a simplicidade atribui mais valor às organizações, às pessoas. Estou certo de que inovar também significa fazer o simples. É essa a mensagem que passo a cada um dos nossos fornecedores.

## A CONFIANÇA É QUE NOS MOVE

Por **MARCONE TAVARES,** diretor do Grupo Abys e presidente da Associação Brasileira de Lojistas de Artefatos e Calçados (ABLAC)

Meu irmão e eu somos a segunda geração no comando do Grupo Abys, que tem 35 anos de história no mercado varejista do Nordeste. A empresa foi fundada pelos meus pais Abdia e Janete Tavares em 1984.

No início, a atuação da Abys era exclusivamente no setor têxtil, porém já nos primeiros anos iniciou o varejo de calçados, e desde de 1990 a empresa decidiu focar no setor calçadista. À época, a empresa canalizou seus esforços para o varejo multimarca de calçados. Foi então que teve início o relacionamento com a Calçados Bibi.

Cheguei à empresa por meio da diretoria comercial. Logo que assumi, a primeira coisa que fiz foi selecionar os fornecedores que continuariam a trabalhar com a Abys dali em diante. A redução foi

**Acreditamos que os melhores parceiros devem ser reconhecidos e exaltados.**

drástica. Dos 250 fornecedores cadastrados e ativos, ficamos apenas com cinquenta. Não foi uma decisão fácil, mas talvez uma das mais assertivas da minha gestão.

Não fiz esse movimento por gosto pessoal e sim, porque acredito que, para entregar valor ao cliente – o motivo pelo qual nossa empresa existe –, é preciso ter no back office, além de um time muito afinado, fornecedores parceiros de verdade.

Quando meu pai se afastou dos negócios, há catorze anos, além da empresa, herdei muita coisa do seu estilo de gestão. Uma delas é a importância das relações de confiança, principalmente, aquelas baseadas na premissa do ganha-ganha.

Poucos parceiros comerciais estão dispostos a se colocar no lugar do outro e encarar o desafio de entregar valor ao cliente como prioridade. Não é fácil ter essa premissa como missão. Pensar no cliente em primeiro lugar é entregar e garantir sempre a qualidade do produto oferecido. É também cobrar-lhe um preço justo e auxiliá-lo a fazer melhores escolhas. O conceito de justiça deve ser aplicado não apenas ao cliente, mas também à empresa; dessa maneira, ela é remunerada o suficiente para entregar valor, e não apenas preço.

Nesse contexto, é difícil pensar no cliente quando se pretende alcançar os ganhos de forma repentina ou descompromissada. Quando o cliente é o centro, muitas vezes precisamos ter paciência na busca pelo resultado planejado. É preciso investir e acreditar que não há outro caminho, a não ser se tornar relevante para o consumidor e garantir a continuidade do negócio.

Os cinquenta parceiros que continuaram conosco participaram do nosso crescimento, nos apoiaram e também nos ouviram. O varejista é quem está lá na ponta, tirando a temperatura do cliente. Com a Bibi não foi diferente. Várias vezes escutamos os desafios da indústria e, outras tantas, nossas ideias e opiniões não só foram ouvidas, mas até consideradas.

Sempre acreditei na Bibi. Confiei na força da loja monomarca e reconheço a visão da empresa de, há doze anos, enxergar que seria fundamental se lançar no varejo por meio do modelo de franchising. A força e a inspiração foram tantas que, mesmo mantendo a rede multimarca, apostei mais uma vez nesse relacionamento e investi em duas lojas da marca. Não me arrependo. O público adora os produtos e a experiência de estar na loja. Para o calçado infantil, que tem várias particularidades, a experiência de compra passou a ser fundamental para esse tipo de operação.

Tenho plena convicção de que sem essa amálgama que criamos com nossos fornecedores não seria possível chegar onde estamos e, certamente, onde queremos chegar.

Atualmente, a família Abys conta com 28 lojas. Delas, dezesseis são multimarcas, duas franquias da Bibi (uma em estudo), quatro lojas da Usaflex, quatro franquias da Arezzo e duas sob a bandeira Democratas. A Abys também é franqueadora da marca Abys Sports, segmentada em moda *fitness* e corrida.

Com todos esses negócios rodando, somos especialistas em varejo e, sobretudo, em relacionamentos.

Procuro sempre entender o momento e as angústias da indústria e espero que os nossos fornecedores também se coloquem no lugar do varejista para juntos encontrarmos as melhores estratégias.

De toda a história da Abys, sem sombra de dúvida, os últimos cinco anos foram os mais desafiadores. É exatamente nesses momentos difíceis que percebemos nas atitudes – e não no discurso – de quem é parceiro na prática. Quem está de fato decidido a correr os riscos juntos para lá na frente dividir os lucros e as dificuldades de uma decisão tomada em conjunto.

A importância da relação entre fornecedores e parceiros comerciais de forma geral é pouco discutida no mercado e até mesmo na academia, mas é um valor intangível que não pode ser desprezado na gestão das empresas, principalmente por aquelas que olham para o futuro e não estão presas apenas aos resultados de curto prazo. À frente da Associação Brasileira de Lojistas de Artefatos e Calçados (ABLAC), da qual sou presidente, tenho buscado entender juntamente com a indústria as dores comuns do setor, além de entender as ameaças e as oportunidades para o desenvolvimento,

tudo isso com um único objetivo de criarmos um ambiente saudável e sustentável em nosso setor calçadista.

## GANHA-GANHA

Intensifiquei meu relacionamento com a Bibi logo que meu pai se
afastou dos negócios. Já conhecia o Marlin Kohlrausch, mas a partir
daquele momento ficamos cada vez mais próximos. Acredito que
o otimismo e a paixão por projetos desafiadores são características
comuns entre mim e ele.

Somente com parceiros fortes é possível inovar e avançar no
mundo dos negócios. A confiança é que nos move. Toda essa credibilidade não nasce de um dia para o outro. É preciso muita conversa, muito olho no olho. Eu acredito muito na relação interpessoal.

O relacionamento da Abys com a Bibi é motivo de muito orgulho para nós. Admiro a forma como o Marlin conseguiu cultivar a
cultura da empresa ao longo de todos esses anos. Assim como a
Bibi, nós também somos uma empresa familiar. Acredito que nesse ambiente é mais fácil garantir e perenizar os valores e a cultura da empresa. Contudo, entendo que toda empresa, familiar ou
não, de capital aberto ou não, precisa cuidar sempre para garantir
a execução de seus valores no dia a dia de cada pequena decisão.
São as atitudes diárias que alimentam o propósito das marcas.

Também sou testemunha de que os mesmos valores e bases da
nossa parceria estão presentes na gestão atual da Bibi. Hoje, aos 40
anos, eu conto com meus fornecedores para fazer o meu negócio
crescer tanto no Brasil como no exterior. Até a publicação deste
livro certamente já teremos inaugurado nossa terceira loja da Bibi
em Maceió (AL) e as tratativas já estarão bem avançadas para a
nossa primeira loja no exterior, também da marca Bibi.

# Capítulo 4
## PRA CRIANÇA SER CRIANÇA – ESSE É O PROPÓSITO DA BIBI

Desde a minha juventude, eu tenho o hábito de sublinhar na página dos livros o que me chama mais atenção, rasgar páginas de revistas que possam me interessar no futuro e guardar o material dos cursos que participei. A ideia é sempre refletir sobre o assunto com a cabeça mais fresca, tentando extrair lições para a vida e para a empresa. Com esse hábito, comecei a reunir artigos, livros, reportagens e material de internet que falasse de propósito. Meu objetivo era saber se o caminho que tínhamos traçado para a Bibi, lá atrás, quando criamos nossa missão, nossa visão, nossos valores, estava alinhado com o pensamento dos grandes especialistas no assunto.

Em 2017, eu tive certeza de que fizemos a coisa certa. Em meados de maio daquele ano, o Grupo Bittencourt – consultoria empresarial nas áreas de Desenvolvimento e Expansão de Redes de Franquias e Negócios – nos desafiou a responder a três questões:

- Qual o propósito da sua empresa?
- Que diferença ela faz na vida das pessoas e no meio em que está inserida?
- Em que fará falta se deixar de existir?

Num primeiro momento, parei para pensar e refletir sobre a provocação. Na correria do dia a dia, o empresário muitas vezes acaba trabalhando no piloto automático e esquece de pensar sobre a essência da empresa, sobre o principal motivo pelo qual ela existe. Efetivamente, não era o nosso caso. Minutos depois, eu tinha a certeza de que as respostas estavam bem vivas na minha cabeça.

O propósito da Bibi é ser uma marca global de calçados infantis, que promove o desenvolvimento feliz e natural das crianças. Resumindo em uma única frase: Pra criança ser criança. Rapidamente, cumpri a missão imposta na primeira etapa do estudo realizado pela Bittencourt, que envolvia 146 franqueadoras, dos mais

diversos portes e setores. Então, recebemos o retorno de que havíamos sido sele-
cionados para a segunda fase, com apenas cinquenta redes participantes. Na fase
seguinte, deveríamos indicar um colaborador e um franqueado que revelasse as
suas percepções sobre a aplicação do propósito no dia a dia da companhia.

O estudo chegou a resultados importantes, como a motivação inicial que levou
os empresários a criar as redes, ou, antes disso, a dar início aos negócios. Enxergar
uma oportunidade de mercado foi a principal motivação para 36% dos participantes; e ter a solução para problemas comuns do dia a dia mobilizou 14% dos
franqueadores. Na sequência, vieram a busca da realização de um sonho (13%),
a necessidade financeira (8%) e o desejo de empreender (7%). Um fator, porém,
deixou claro que os empreendedores tinham objetivos maiores, ou seja, tinham
um propósito, se não bem definido, pelo menos alinhado. Das redes participantes, 16% afirmaram que o motivo principal era causar impacto positivo na vida
das pessoas. Parecia um bom sinal. Todavia, ao final do estudo, constatou-se que
64% das franquias tinham em sua essência o propósito claro, porém não o tradu-
ziram em um conceito que pudesse ser replicado em toda a rede. Das franqueadoras com propósito, apenas 56% têm o propósito explícito, claro, bem definido.
As demais 44% têm no discurso e na prática diária a sua representação, mas ainda sem a "embalagem" necessária para fazer chegar a mensagem de forma clara
e possível de ser multiplicada. As 36% restantes não conseguiam expressar seus
propósitos de forma explícita ou implícita. Para esse grupo, havia uma confusão
entre o conceito de propósito e de ação social.

Ao final da pesquisa, o Grupo Bittencourt destacou 25 redes de franquias
que tinham o propósito como norte de seu cotidiano e como foco para seu desempenho no futuro. A Bibi estava entre elas. Durante a premiação, Lyana Bittencourt, sócia da Bittencourt e coordenadora da pesquisa, deixou claro que:

> O franchising, assim como os demais setores da economia, pre-
> cisa resgatar a sua essência e, de fato, conseguir traduzir o pro-
> pósito de suas companhias em ações que engajem a todos, não
> pelo aspecto financeiro, mas, sim, pela importância que isso terá
> em suas vidas.

Diante de tamanho mergulho na essência do propósito para as organizações
e para a própria vida dos empreendedores e dos colaboradores, ninguém melhor que Lyana para esmiuçar esse conceito nas próximas páginas.

## SONHE GRANDE, PASSINHO A PASSINHO

Por **LYANA BITTENCOURT,** sócia da Bittencourt Consultoria e responsável pelo estudo sobre propósito que premiou a Calçados Bibi em 2017

Você já parou para pensar no que as pessoas – clientes, funcionários, franqueados e até mesmo o planeta – perderiam se sua empresa deixasse de existir amanhã? Qual é a razão pela qual seu negócio existe? Qual é o catalizador da sua motivação?

Essas perguntas têm rondado o mundo dos negócios, não apenas porque alguém importante resolveu falar sobre o tema, mas porque diariamente as pessoas têm se sentido pressionadas pela rotina e pelo estresse das grandes cidades e acabam se questionando sobre qual é o sentido de tudo isso.

Por que eu acordo cedo e vou trabalhar naquela empresa?

Por que deixo minha família para ir trabalhar? É só pelo dinheiro?

Por que às vezes a vida parece não ter tanto sentido, já que a correria e a rotina me devoram?

Qual é a contribuição que dou para a minha empresa, para a comunidade ou para o mundo?

São todos questionamentos vivos e presentes na vida moderna. E todos ligados, também, ao propósito. Segundo o Movimento Capitalismo Consciente Brasil, o propósito de uma empresa deve ser muito mais que simplesmente gerar lucros: é a causa pela qual a empresa existe. E, segundo pesquisas que o Grupo Bittencourt realiza, muitas vezes essa causa, se existiu, não está mais viva na companhia pelas mais diversas questões, como: os fundadores já não estão mais ativos na empresa; a cultura da empresa foi se transformando ao longo do tempo e perdendo a essência original; ou a inspiração para os negócios já não é mais a mesma e pode estar relacionada apenas à geração de lucros. Temos também os casos em que a empresa nasce, cresce e se desenvolve sem nunca ter pensado no impacto que ela causa na sua comunidade, seja ela interna ou externa. E, nesses casos, o que deve ser feito?

## UMA EXPLICAÇÃO

Durante décadas e mais décadas, as empresas eram reconhecidas no mercado pelo seu porte, pela imponência de suas estruturas físicas, pela estrutura organizacional, pelas hierarquias e pelo plano de carreira que ofereciam a seus colaboradores. E qualquer empresa que fosse minimamente estruturada tinha desenhado a sua missão, a sua visão e os seus valores, e todos tinham isso de certa forma como um mantra a ser repetido, ou até melhor, decorado. Isso tinha muito mais relação com o marketing e com as atividades de recursos humanos do que com as pessoas que faziam a companhia.

Os jovens, ao saírem das mais renomadas universidades, tinham por objetivo galgar uma vaga como trainee em uma dessas corporações, nelas fazerem carreira e lá ficarem, quem sabe, até a aposentadoria.

Cada ano que passa, essa realidade tem se tornado cada vez mais distante. Muitas pesquisas realizadas sobre pessoas na organização trazem o mesmo resultado. Não é a compensação financeira que faz com que um funcionário se mantenha engajado com a sua melhor performance, mas, sim, as causas pelas quais ele faz isso e o reconhecimento que recebe.

Hoje se fala bastante sobre *Triple-Bottom Line – People, Profit, Planet*. Ou, de forma mais clara, os resultados obtidos pela empresa sob esses três aspectos: pessoas, lucro e planeta. Assim, aquelas que conseguem equacionar estes três pilares podem ser consideradas empresas sustentáveis que vão sobreviver neste século. Essa equação é muito lógica. Não tem como falar sobre propósito sem falar sobre a inspiração e a motivação das pessoas e, ao mesmo tempo, se torna impossível não considerar o impacto das atividades do homem no planeta nos dias de hoje. A ampliação da consciência sobre esse assunto o torna obrigatório para as empresas.

E essa inspiração necessária para a motivação das pessoas muitas vezes está relacionada ao resgate da motivação dos fundadores ao criarem a companhia. A origem da marca e os sonhos envolvidos ao construírem a empresa dizem muito sobre ela e podem efetivamente gerar uma transformação de dentro para fora, engajando as pessoas envolvidas na corporação. Isso traz um significado para o comprometimento e a dedicação diária de cada um no processo. Ou seja, traz de volta a conexão emocional, um sentido maior, que transcende a compensação financeira, e ajuda a obter as respostas para os questionamentos que exemplifiquei no começo deste texto.

Há quem ainda não esteja preparado para lidar com esse tema e julgue que o propósito é algo escrito para o mercado ver, algo que pode ser delegado ao departamento de marketing da empresa. Também há quem confunda o propósito com ações sociais, ou ações beneficentes. E também temos aqueles que acham que o dever de fazer algo significativo para a comunidade, pelas pessoas ou pelo planeta é dos governantes, do poder público.

O primeiro se engana por achar que é algo para ser mostrado e exibido para o mercado, mesmo que não tenha uma essência verdadeira, mesmo que não se pratique efetivamente o propósito no dia a dia da companhia. Ele não entende o efetivo poder de um propósito forte e presente na cultura organizacional (e nos resultados alcançados). Já o segundo confunde o propósito com a adoção de uma causa, acha que uma doação ou uma ação filantrópica é capaz de apagar toda uma história de negligência com as pessoas e com o impacto da empresa no planeta. É quase como uma justificativa, ou mesmo uma ação de autoperdão. E o terceiro, bom, esse é melhor que espere sentado... Não que essas ações não sejam importantes, mas não são suficientes para engajar pessoas e trazer resultado para a companhia e para a sociedade como um todo no longo prazo.

**Não tem como falar sobre propósito sem falar sobre a inspiração e a motivação das pessoas.**

É importante não confundir o propósito com o tripé: missão, visão e valores. O propósito vai além. Ele tem conexão direta com a alma da organização. O propósito não se cria como um produto ou serviço; o propósito é essência, ele existe antes mesmo de o negócio ser criado. Segundo Joey Reiman, no livro *Propósito – Porque engaja colaboradores, constrói marcas fortes e empresas poderosas*, que explorou de forma bastante clara o tema, "propósito" é uma maneira única que a empresa escolhe para organizar sua contribuição para o mundo.

Empresas com propósito atraem a nova geração, que busca se relacionar com algo que faça sentido em suas vidas e quer ter experiências gratificantes com a marca. Exemplos para as demais empresas e seus produtos costumam ser valorizados de forma superior às demais marcas. Acaba sendo um diferencial competitivo importante para melhorar os resultados na última linha, o que pode ajudar a convencer os mais céticos de sua importância.

## PRODUTOS SÃO IMPORTANTES, MAS PROPÓSITO É TUDO!

Christopher Gavigan, CEO e Chief Purpose Office da The Honest Company, empresa norte-americana voltada para produtos para bebês, costuma dizer que o produto é importante, mas o propósito é tudo. É o que dirige, guia as atitudes e as decisões das companhias. Essa empresa se propõe a vender produtos confiáveis e traduz isso com uma fabricação livre de ingredientes nocivos à saúde, sem testes em animais, com fórmula própria e hipoalergênicos. Um fato interessante é que eles se definem como uma empresa que tem um posicionamento de ser honesta, e não perfeita. Essa frase ficou tão marcada no varejo porque é efetivamente o que tem acontecido no mundo dos negócios. A diferenciação exclusivamente pelo produto está cada vez mais escassa.

Vivemos num mundo onde tudo é commodity. Um produto criado hoje por uma empresa, amanhã poderá estar nas prateleiras do seu concorrente. Tudo se copia de forma muito rápida e com escala. Então, o propósito acaba sendo algo que provoca a diferenciação, pois está cravado em princípios que resistem ao tempo. Ele vira um foco de luz que atrai o consumidor que está em linha com o que a marca se propõe de uma forma mais abrangente e profunda.

## POR QUE É TÃO DIFÍCIL PARA ALGUMAS EMPRESAS?

É um grande desafio, mas não é impossível imbuir as pessoas de um propósito nas empresas. Essa mudança mais do que de mind-set[5] é de cultura organizacional. Os benefícios de uma cultura forte, paradoxalmente, podem se traduzir em ameaças importantes. Ao mesmo tempo que podem proporcionar estabilidade para a sobre-vivência da organização, podem, também, trazer inflexibilidade para mudar, pois a sua forma de fazer as coisas acontecerem pode ser mais rígida. Alguns mercados podem ser mais estáveis e, por conta disso, aceitam melhor essa lógica. Entretanto, outros são altamente voláteis e precisam de mais flexibilidade e independência.

É justamente nesse ponto que trazemos a reflexão. Será que a cultura da sua organização hoje atende ao seu propósito? Ou será que ela tem jogado contra tudo que você acredita ser o "porquê" da sua empresa?

Num passado recente, as empresas não se preocupavam em tor-nar públicas sua cultura ou as causas que defendiam ou ainda seu propósito no mercado. Muitas vezes, isso nem estava claro para a própria companhia. Com as novas exigências dos consumidores de que as marcas precisam mostrar algo a mais para justificar a esco-lha de uma em detrimento da outra, externar a cultura se tornou fundamental.

Hoje, a cultura das marcas está numa vitrine e as pessoas dese-jam se conectar ao que você mostra desde que isso esteja relaciona-do ao seu jeito de ser e de pensar.

## UM ESTUDO

Em 2017, o Grupo Bittencourt fez um estudo – *Propósito que enga-ja de fato* – que trouxe uma visão geral sobre o entendimento e a aplicação de um propósito nas redes de franquias brasileiras. Um

---

[5] Mindset – conjunto de atitudes mentais que influencia diretamente nos nossos comportamentos e pensamentos.

estudo feito para conhecer o propósito das franqueadoras e o que as tornam autênticas e diferenciadas das demais empresas no mundo. Com base nesse contexto, perguntamos os "porquês" dos franqueadores. Quais foram suas motivações para iniciarem o negócio e os resultados, em sua maioria, foram em relação a uma identificação de oportunidade no mercado. E é assim mesmo que os negócios no Brasil surgem, num misto de oportunidade e necessidade, empresas dos mais diversos tipos e segmentos são criadas aos milhares em nosso país. E, durante muitos anos, o que impulsionou o empreendedorismo no Brasil não foi associado a um propósito maior ou a uma causa adotada pelos seus fundadores, foi a necessidade que falou mais alto. Isso significa que, pela ausência de uma fonte de renda que garanta a sua subsistência e a da sua família, muitas pessoas começam a empreender.

Isso explica muita coisa. Quando vemos empresários "perdidos", sem saber como lidar com a forma mais consciente de consumir do seu público, há de uma forma geral uma busca pelo atendimento das necessidades básicas de seus consumidores, independentemente da geração, que na essência continuam sendo as mesmas: estima, lazer, senso de pertencimento, segurança, autorrealização... No entanto, com uma nova forma de exigir como as marcas atendem a essas necessidades ou mesmo como querem que estas interajam com eles e atendam e superem suas expectativas.

As pessoas estão em busca de marcas que as ajudem a atenuar a culpa que sentem pelo impacto negativo do consumo no planeta. Está cada vez mais difícil ignorar o fato de que o consumo exacerbado causa danos ao meio ambiente e ao planeta de forma geral. As marcas têm que achar a própria forma de ter um impacto positivo na vida das pessoas e isso vai muito além do produto ou do serviço que ela oferece no mercado. O consumidor deseja ver além do benefício pessoal de consumir determinado produto ou serviço, quer também enxergar benefício social e ecológico, humanitário para se autoperdoar pelo impacto que deixa no planeta.

Outro ponto interessante que vimos no estudo é que há pouco envolvimento do empresariado brasileiro nos temas que podem causar impacto positivo no país de uma forma geral. Mais de 75% dos franqueadores entendem que sua contribuição para o Brasil se resume ao impacto econômico – geração de empregos e pagamento de impostos. O segundo item mais citado é em razão de a empresa ser sólida e relevante. Ou seja, ser "a maior" do país em alguns casos. Mas ser a maior não significa necessariamente que ela seja "a melhor" para o país. Vale trazer à tona a reflexão de que, além de gerar riqueza, a empresa também pode fazer a diferença e usar sua força para resolver problemas sociais e ambientais, ter impacto positivo na vida das pessoas, dos *stakeholders* e do ambiente em que estão inseridas. Dando o exemplo de que há formas de se performar com propósito.

## COMO FAZER O PROPÓSITO ACONTECER

A ligação entre o propósito, a paixão pelo negócio e o envolvimento das pessoas é muito direta, uma vez que a tradução do que a marca pretende como agente transformador ocorre por meio das pessoas. Entender a motivação do time e dos franqueados, o que os inspira e como como isso se relaciona com o desejo real e o entusiasmo do franqueador é uma forma efetiva de fazer uma conexão direta com o coração e com a força executora de cada ponta do negócio.

O impacto que as redes de franquias e os negócios podem, ter e a velocidade em que isso ocorre é muito maior que qualquer outro negócio. O poder de influenciar todos que têm contato com a marca para atuarem de forma consciente, melhorando os negócios e também a vida das pessoas, é gigantesco. Elevar o nível de conscientização dos empresários para um objetivo maior, além-lucro, a fim de combinar lucro e justiça social, produtividade e criatividade, eficiência e bem-estar, competição e espiritualidade, resultado e felicidade, é uma causa e pode ser adotada por mim, por você e por todos que desejam um mundo melhor.

## CONSIDERAÇÕES FINAIS

É muito gratificante fazer parte deste livro e ainda mais sobre um tema tão especial, de uma pessoa a quem admiro muito. A construção da história da Bibi foi permeada por um propósito e por valores que dizem muito sobre seus fundadores e sua missão no mundo.

Em 2017, a Bibi foi eleita uma das empresas top 25 no que tange a propósito em sua rede de franquias. De todos os participantes, a companhia esteve entre aquelas top que se destacavam por ter um propósito presente, ativo, percebido, enraizado...

Eu me lembro até hoje do primeiro projeto que pude participar com a Calçados Bibi. O Grupo Bittencourt chegava para apoiar o projeto de franquia e, posteriormente, a expansão da marca pelo Brasil. Fui impactada pela história da família, impactada pela forma disciplinada e cativante do Marlin, já naquela época acompanhado da sua filha Andrea, que hoje comanda a empresa, como terceira geração.

Aprendi sobre a história da família, a história da marca, ouvi sobre os sonhos de entregar por todo o mundo, acompanhei de perto toda a gestão à vista realizada pela empresa e a forma com que se colocava amor em cada uma das ações que se fazia na Bibi.

Até plantei uma árvore, como um ritual que ainda hoje existe na Bibi para todos aqueles que contribuíram de alguma forma na construção da empresa.

E hoje me sinto feliz por estar aqui contando um pouco da nossa história com a Bibi, e também dessa família que tanto me orgulha e que faz de maneira tão cuidadosa o empreendedorismo em nosso país.

Quem prima pelo cuidado dos pezinhos de brasileirinhos e brasileirinhas que constroem e vão construir nosso país merece todo o nosso respeito e admiração. Não apenas pelo negócio de sucesso, mas também pela forma ética, responsável e encantadora que se faz essa história e dá vida ao seu propósito de "permitir a criança ser criança". Tenho pessoal admiração pelo legado que está sendo deixado pela empresa e pelas pessoas que estão por trás dela. Não se concebe algo grande se você não souber que pode ser muito mais do que imagina ser. Sonhando grande, passinho a passinho, alcançando não apenas um mercado, mas também o coração de milhares de pessoas.

# Capítulo 5
## ENTRE GANHAR DINHEIRO E MUDAR O MUNDO, FIQUE COM OS DOIS

Há pouco mais de dez anos, em conversas com empresários de diversas partes do Brasil e de vários setores, seja em seminários, seja em reuniões de entidades de classe, o pensamento era comum: é praticamente impossível o capitalismo contribuir com a mesma intensidade para fins econômicos e socioambientais. O que se via eram ações de responsabilidade social isoladas e um cuidado com o meio ambiente exercido em maior ou menor intensidade por uns e por outros. Na ânsia por cumprir metas, assegurar participação no mercado e ganhar competitividade, a energia e a atenção estavam mais orientadas para os números, para os resultados, para o que diriam os acionistas na reunião do Conselho. Ninguém praticava a gestão humanizada no sentido mais puro do conceito.

Para a grande maioria das pessoas ao redor do mundo – e no Brasil não era diferente – as palavras "capitalismo" e "consciência" eram antagônicas, com significados contraditórios. O "capitalismo" associado à individualidade e ao consumo pelo acúmulo; enquanto a "consciência" era ligada à coletividade e ao propósito. Somá-las a fim de trazer benefício não só para os negócios e seus acionistas, mas, também, para equipe, fornecedores, clientes, sociedade e meio ambiente, era uma tese defendida dentro do meio acadêmico. Eram raros os empresários que pensavam dessa maneira.

O cenário começou a mudar em meados dos anos 2000, quando os pensamentos do acadêmico indiano Raj Sisodia[6] começaram a transcender as paredes

---

6 RAJENDRA (RAJ) SISODIA – Nascido na Índia e radicado nos Estados Unidos, é cofundador do movimento global capitalismo consciente. É PHD em Marketing e Política Industrial pela Columbia University. Em 2009, fundou o Concious Capitalism Institutt para apoiar a integração do capitalismo consciente nos negócios por meio de pesquisa, educação e desenvolvimento. É professor de marketing da Universidade de Bentley, professor emérito da Babson College e autor de sete livros, entre eles, *Capitalismo consciente* e *Os segredos das empresas mais queridas*.

das salas de aula das principais universidades norte-americanas e ganhar o mundo. Junto com dois professores, Sisodia decidiu estudar como algumas empresas conseguiam manter sua alta reputação e fidelidade junto aos clientes sem investir milhares de dólares em publicidade e marketing. Antes de ser publicado, o estudo chegou ao conhecimento de John MacKey,[7] fundador do Whole Foods Market, uma das maiores redes de alimentos saudáveis do mundo. Ao folhear o estudo o empresário norte-americano encontrou muitos pontos comuns às práticas adotadas nos seus negócios. Da leitura até aliar-se ao acadêmico Sisodia para divulgar a pesquisa foi um passo. O trabalho resultou no livro *Firms of Endearment: How World-Class Companies Profit from Passion and Purpose* (2003) – traduzido no Brasil como *Empresas humanizadas – Pessoas, propósitos e performance* (2007). Mais tarde, no livro *Capitalismo consciente – como libertar o espírito heroico dos negócios* (HSM, 2013, p. 8 a 9) John Mackey escreveu:

> Nosso objetivo principal é inspirar a criação de um número maior de empresas conscientes: organizações envolvidas em propósitos elevados, que sirvam e contemplem os interesses de todos os stakeholders. Queremos empresas com líderes conscientes e comprometidos com os objetivos do negócio, com as pessoas com as quais lidam e com o planeta. Ansiamos por companhias com cultura de dedicação e resiliência, capazes de transformar o trabalho em fonte de grande alegria e de satisfação. Realmente acreditamos que isso resultará em um mundo melhor para todos nós. Juntos, os líderes empresariais podem liberar o extraordinário poder das empresas e do capitalismo para criar uma sociedade na qual todos vivam com propósito, amor e criatividade. Um mundo de compaixão, liberdade e prosperidade. É assim que definimos nossa abordagem de um capitalismo consciente.

Entre teoria e exemplos práticos, eles deixavam claro que as empresas se beneficiam a partir da paixão e do propósito. Nascia aí o conceito de capitalismo consciente, um movimento global que vem chamando a atenção e ganhando adeptos no mundo, inclusive no Brasil. Em poucas palavras, o movimento do

---

[7] JOHN POWELL MACKEY (1953 - ) – Empresário americano nascido em Houston. Fundador do Whole Food Market, comprada pela Amazon em 2017. É um dos criadores do movimento do capitalismo consciente. Tem dedicado a vida a incentivar o consumo de alimentos naturais e orgânicos naturais e orgânicos de qualidade.

capitalismo consciente defende a premissa de que as empresas realmente prosperam quando estão organizadas em torno de um propósito maior; que os negócios bem administrados e centrados em valores podem contribuir para a humanidade de maneira mais tangível do que qualquer outra organização na sociedade.

Os pesquisadores não só comentavam, como também mostravam em números que isso era possível. A pesquisa realizada com as companhias de práticas humanizadas nos Estados Unidos entre 1998 e 2013 é referência até hoje. O levantamento revelou que as organizações com práticas humanizadas tiveram um retorno acumulado de 1.681% contra 118% do S&P500 – índice composto por 500 ativos (ações) cotados nas bolsas de Nyse e Nasdaq. Confesso que chamou minha atenção. Tenho o hábito de grifar os trechos que mais me instigam nos livros que leio e esses números mereceram destaque.

Entre 2018 e 2019, um total de 1115 companhias brasileiras passaram por uma avaliação semelhante à realizada pelo Instituto de Capitalismo Consciente dos Estados Unidos. A avaliação foi feita pelos pesquisadores da Escola de Engenharia de São Carlos da USP e contou com a colaboração do próprio Sisoia. O estudo, denominado *Empresas Humanizadas no Brasil*, foi divulgado pelo *Jornal da USP* (16 abril 2019) e revela que companhias que praticam esse tipo de gestão agradam mais a clientes e colaboradores. Há uma satisfação 240% superior por parte dos clientes, e níveis 225% maiores de bem-estar entre os colaboradores. Em um período de 4 a 16 anos, alcançam mais do que o dobro de rentabilidade financeira em comparação à média das 500 maiores empresas do país.

Em artigo na *Harvard Business Review*, Tony Schwartz, CEO da The Energy Project, aponta algumas razões para o desempenho muito superior das organizações que praticam o capitalismo consciente:

São empresas que tratam melhor seus colaboradores, tendo como consequência fornecedores mais interessados em fazer negócios com elas e funcionários mais engajados e produtivos. São companhias que as comunidades desejam ter por perto e com consumidores mais satisfeitos e leais.

O desafio do capitalismo consciente é propor um novo paradigma para os negócios:

- Não perseguir o lucro a qualquer custo, mas seguir um propósito que responda a três perguntas básicas: Por que a empresa existe? Qual a diferença que traz para a comunidade na qual está inserida? Se amanhã ela desaparecer, quem sentirá a sua falta?

- Trabalhar com um propósito claro, porque só assim os colaboradores levantarão de manhã com vontade de trabalhar; conseguir engajar o cliente por meio de fornecedores, produtos e serviços; ter parceiros alinhados e gerar orgulho para a comunidade porque a empresa faz parte dela.

- Gerar riqueza para todos no lugar de lucro para o acionista à custa de todos os outros.

- Não admitir a busca de resultados a qualquer preço, principalmente a curto prazo.

No comando, deve estar uma liderança orientada à geração de valor sustentável para todas as partes interessadas, ou como dizem na linguagem do mundo coorporativo, para todos os *stakeholders*.

O conceito é ancorado em quatro princípios básicos, descritos por Sisoia e Mackey no livro *Capitalismo consciente – como libertar o espírito heroico dos negócios* (2013):

- **PROPÓSITO MAIOR -** Vai além de gerar lucro e criar valor para os acionistas. Propósito é a razão de existir de uma empresa. O senso de propósito maior é mobilizador: cria um extraordinário grau de engajamento entre todos os públicos de interesse e catalisa a criatividade, a inovação e o comprometimento organizacional. Ter um propósito maior e valores centrais compartilhados ajuda a unificar a empresa e a elevar, ao mesmo tempo, seus níveis de motivação, desempenho e compromisso ético.

- **INTEGRAÇÃO DE STAKEHOLDERS -** Stakeholders são todas as entidades que impactam ou são impactadas por essa organização. Empresas conscientes reconhecem que cada um dos atores é importante. Todos estão conectados e são independentes e o negócio deve otimizar a criação de valor para essa rede. Todos são motivados por um senso de propósito e por valores centrais compartilhados.

- **LIDERANÇA CONSCIENTE -** Não existe negócio consciente sem líderes conscientes. Estes são motivados principalmente pela oportunidade de servir ao propósito maior da empresa e de criar valor para todos os stakeholders. *Tal tipo de liderança rejeita a visão de negócios orientada para trade-offs (tomada de decisão que consiste na escolha de uma opção em detrimento de outra) ou como jogo de soma zero – ele busca criativas e sinérgicas abordagens de ganhos, que gerem múltiplos valores simultaneamente. Além de altos níveis de inteligência analítica, emocional e espiritual, os líderes de empresas conscientes possuem uma inteligência sistêmica mais apurada, que compreende as relações entre todos os stakeholders independentes.*

- **CULTURA E GESTÃO CONSCIENTES -** *A cultura da empresa consciente garante força e estabilidade para a organização como um todo, ao assegurar que seu propósito e seus valores centrais sobreviverão ao longo do tempo e às transições de liderança. Culturas conscientes evoluem naturalmente a partir do compromisso da empresa com um propósito maior, com a independência dos stakeholders e com a liderança consciente. Embora possam variar de uma para outra, tais culturas usualmente compartilham muitas características como confiança, responsabilidade, transparência, integridade, lealdade, igualitarismo, justiça e crescimento pessoal, além de amor e cuidado. Empresas conscientes utilizam uma abordagem de gestão compatível com sua cultura, baseando-se na descentralização, na autonomia e na colaboração. Isso ajuda a ampliar a capacidade interna de inovação contínua e cria vários tipos de valores para os stakeholders.*

## O QUE DAVA CERTO NO PASSADO NÃO FUNCIONA MAIS

Várias vezes eu me pergunto e, acredito que muitos empresários fazem o mesmo, o que tem provocado a necessidade de tantas mudanças na forma como as empresas se comportam. Nas palestras que ministra mundo afora, muitas delas no Brasil, Sisoia costuma dizer que a forma como o mundo girava até os anos 1980 não funciona mais. Isto é, a antiga conduta com foco na formação de riqueza não dá mais o mesmo resultado. O acadêmico afirma que a partir de 1989, o mundo entrou em uma nova fase, que denominou de a Era da Transcendência, na qual as pessoas estão indo além do material e passam a se preocupar também com outras questões.

Muitas coisas aconteceram nos últimos trinta anos que contribuíram para as mudanças de comportamento, como o colapso do comunismo na figura da antiga União Soviética, a queda do Muro de Berlim, a criação da internet, a queda de fronteiras no mundo globalizado, o acesso facilitado às informações em um volume inimaginável, um maior acesso à educação e aumento do número de mulheres nas universidades e na direção das companhias. Soma-se a isso o fato de as pessoas estarem muito mais conectadas, mais conscientes e demandarem por mais transparência, ética, compromisso com a verdade, inclusão social e preservação do meio ambiente.

Outro fator importante foi a chegada dos Millennials, também conhecidos como Geração Y. Não há um consenso sobre o corte exato das idades. A empresa de pesquisa Kantar Worldpanel, por sua vez, classifica como Geração Y as pessoas nascidas entre 1979 e 1996 e há quem estabeleça esse corte entre 1981 e 1997. E, ainda quem enquadre nessa categoria os consumidores adolescentes na virada do milênio. Mais ou menos maduros no final da segunda década dos anos 2000, o certo é que são pessoas engajadas em causas sociais e ambientais, sendo reconhecidos como um público exigente e autêntico.

Trata-se de uma geração que pôde estudar mais e ingressar no mercado de trabalho mais tarde; que não aceita qualquer tipo de trabalho; é multitarefa e menos leal a marcas do que consumidores de outras idades. Em razão de ter crescido envolvida com mídias sociais, tem sido a principal fonte de informação sobre produtos e serviços. Está aí um dos fatores pelos quais as organizações precisam ficar atentas ao que eles dizem, pensam e demandam, sob o risco de serem duramente penalizadas. É importante destacar, também, que a Geração Y tem um processo de consumo diferente, que considera diversos fatores: ideias, posicionamentos, valores e processos de produção que estão atrás de cada oferta. São adeptos da economia compartilhada, que privilegia o uso e o acesso de bens e não a posse. Os exemplos de companhias que provocaram verdadeiras mudanças no mercado com essa filosofia se multiplicam, basta citar o Uber e o Airbnb.

A primeira é uma empresa de tecnologia que está transformando a maneira como as pessoas se movimentam. Caso você ainda não saiba, a Uber conecta usuários e motoristas parceiros por meio de seu aplicativo. Fundada em 2010, em São Francisco, EUA, está presente em mais de sessenta países, somando mais de 93 milhões de usuários, o equivalente às populações dos estados de São Paulo, Minas Gerais, Rio de Janeiro e Bahia juntas. É muita gente para menos de uma década de operação. Já o Airbnb configura-se como uma plataforma de oferta de hospedagens, presente em mais de 100 mil cidades no mundo, com mais de 7 milhões de imóveis listados. Oferece desde opções convencionais, como casas e apartamentos, até as mais inusitadas como iglus, casa na árvore e barcos. Em onze anos de operação, alcançou valor de mercado de US$ 31 bilhões, superando em US$ 7 bilhões o valor da maior rede de hotéis do mundo, a Hilton, fundada em 1919.

"A sociedade passou por grandes mudanças e adotou novos valores, mas poucas companhias foram capazes de se adaptar", afirmou Sisoia em sua passagem pelo Brasil, em março de 2019, durante a Conferência Latino Americana sobre capitalismo consciente. A pergunta que nos fazemos é: como nossas empresas podem se tornar relevantes na vida das pessoas e terem um impacto positivo de verdade no mundo? A resposta não é simples, mas, com certeza, envolve a criação de um propósito autêntico, a partir do qual é possível criar valor para todos os participantes, de colaboradores a clientes, passando pelos fornecedores, pelos parceiros, pela sociedade e pelo meio ambiente.

Na Bibi nós fazemos esse exercício diariamente. Nossa grande missão é contribuir para o desenvolvimento feliz e natural das crianças. Nosso propósito é ser uma marca global de calçados infantis que promove o desenvolvimento das crianças, dos pés à cabeça, por meio de produtos que encantam pais e filhos. Fomos muito felizes em conseguir passar uma mensagem, pela qual trabalhamos fortemente, dia a dia, e na qual acreditamos: Calçado pra criança ser criança. A preocupação com a saúde da criança é real e praticada. Nossos calçados são feitos de couro e produtos transpiráveis; não têm salto; usam palmilha Fisioflex plana, que massageia os pezinhos e não interfere no arco do pé; os solados não escorregam e os cabedais (parte de cima do calçado) facilitam a transpiração.

Ao buscar propósito e significado para suas escolhas, os Millennials têm provocado mudanças significativas não

> **Queremos empresas com líderes conscientes e comprometidos com os objetivos do negócio, com as pessoas com as quais lidam e com o planeta.**

apenas na forma como as empresas produzem e entregam seus produtos e serviços, como, também, dentro da própria organização. A Geração Z, nascida a partir de 1998 tende a ser ainda mais enfática em seus conceitos e valores.

O desafio das marcas está em ganhar a confiança desses consumidores com transparência e uma mudança real de comportamento. Dados do Instituto do Capitalismo Consciente Brasil mostram que apenas 57% dos brasileiros confiam nas empresas. Ah, mas alguns dirão que é mais do que a metade dos consumidores! Realmente, mas não dá para aceitar, tem muito trabalho pela frente para mudar esses resultados.

É preciso ouvir os consumidores que diariamente dão um recado claro às empresas: se a marca não estiver em sintonia com o novo modelo de desenvolvimento econômico será abolida. Selos e certificações estampados nas embalagens não têm mais o mesmo valor. É preciso provar na prática. Não basta empreender, faturar milhões. É preciso querer e atuar profundamente na construção de uma empresa engajada em melhorar a forma como vivemos, que pense a longo prazo de forma coletiva e integrada. É preciso escalar, multiplicar um novo modelo de relação com o consumo e com o planeta; conceber produtos e serviços que construam valor quando consumidos.

Outro ponto importante: enquanto tiver bônus – destinados aos colaboradores envolvidos na cadeia de venda dos produtos e serviços oferecidos por mais diversos perfis de empresas – a curto prazo voltado apenas para venda e lucro, sem considerar outros parâmetros, como sustentabilidade, satisfação dos colaboradores, engajamento e reconhecimento dos clientes, dificilmente ocorrerão mudanças.

## PENSA QUE É FÁCIL, MAS NÃO É

Hugo Bethlem, diretor geral do Instituto Capitalismo Consciente Brasil, afirma que o capitalismo consciente é fazer as coisas certas, do jeito certo, na busca por resultados a longo prazo. "Colocar em primeiro lugar os *stakeholders* em vez do lucro vai contra a lógica de mercado. Mas, a longo prazo, gera resultados mais sustentáveis e sociais", afirmou em entrevista à *Época Negócios* (14 março 2019). Eu defendo essa tese também. O mundo está muito imediatista e uma boa parte das companhias têm se preocupado apenas com o presente, esquecendo-se de projetar o futuro. A Bibi em 2019 já olhava para 2030. Tem de olhar o longo prazo. É importante a história, mas olhar para o retrovisor não adianta, é preciso olhar para frente.

Aplicar o capitalismo consciente, porém, não é fácil. Exige determinação, foco e pulso firme da liderança. As pressões externas são poderosas em um sistema que preza pelo lucro a curto prazo para agradar aos acionistas e bater metas. A tentação bate à porta diariamente. Anos atrás a Bibi lançou o tênis com rodinhas de forma pioneira. Vendeu muito, foi largamente copiado. Há dois anos, nós o tiramos de linha e deixamos de vender 550 mil pares por ano. Tiramos do mercado porque o produto fere a conduta da marca. A criança pode sofrer um acidente, ter problemas no desenvolvimento das pernas, entre outras coisas. Foi uma decisão difícil porque era um produto com um volume de vendas alto, que dava muito retorno. No entanto, decidimos que era preciso tirar do portfólio. Temos uma conduta muito regrada, somos fiéis aos nossos princípios e valores. Não importa se o produto vai vender, se em determinado momento percebemos que está fora da cultura e do que queremos promover para as crianças, deve ser descontinuado.

Mas, apesar do alto grau de desafio, qualquer companhia pode adotar o modelo, basta querer. O capitalismo consciente não é um produto de luxo, restrito a poucos. Pelo contrário, funciona para todos os tipos de empresa. Trata-se, porém, de uma jornada longa, que depende diretamente da postura do líder. Se ele não comprar a ideia, desacredita o processo inteiro. Isso provoca uma de duas reações nos colaboradores: ou se calam ou vão embora, um comportamento bastante comum à nova geração. Assim, a valorização e o cuidado com os funcionários configuram-se como pontos cruciais para a prática do capitalismo consciente. "Nos Estados Unidos, 88% dos trabalhadores acham que suas empresas não se importam com eles como pessoas, com a maior parte dos negócios sendo geridos com medo e estresse", afirmou Sisodia em reportagem publicada por *Época Negócios* (05 nov. 2014). No Brasil, pesquisa feita pelo Instituto Locomotiva revelou que 56% dos trabalhadores com carteira assinada estavam insatisfeitos com o emprego em 2018.

Bons índices, contudo, não têm impacto se o líder não tiver vontade e disposição para mudar. Enquanto ele não despertar para a necessidade de mudança, a empresa não despertará. As startups chegam ao mercado com essa vontade de começar certo, enquanto as empresas com 30, 40, 50 anos têm mais dificuldade, carecem de um esforço maior, porque têm origem em uma cultura diferente, com foco no lucro, independentemente do seu impacto na sociedade e no meio ambiente. As empresas devem colocar o cliente em primeiro lugar. Os colaboradores em segundo, e como consequência conseguirão entregar o resultado esperado pelo acionista. Companhias que colocam os acionistas em primeiro lugar nem sempre respeitam seus consumidores e correm o risco de não conseguir alcançar a longevidade. Trata-se de uma visão de curto prazo que não se sustenta.

Independentemente do perfil, do porte e da longevidade da companhia é preciso ter em mente que se trata de um caminho sem volta. Isso porque empresas conscientes conseguem um nível de venda mais elevado, contam com colaboradores mais produtivos e eficientes, investem dinheiro em aspectos que fazem a diferença para os clientes e não aplicam recursos em itens que não agreguem valor. Na prática, sabem aonde querem chegar e como querem chegar lá.

# Capítulo 6
## O DESAFIO DA LIDERANÇA MODERNA

Certo dia, eu me deparei com um pensamento do filósofo chinês Lao Tsé[8] sobre liderança que dizia: "O melhor de todos os líderes é aquele que ajuda seus seguidores para que eles não precisem mais dele". Fiquei pensando dias a fio sobre o que havia lido. Como era possível, há milhares de anos, alguém talhar uma definição tão atual de líder? A verdade é que o conceito proposto por Lao Tsé foi sendo aos poucos assimilado e, no início do século XXI, se tornou mais atual do que nunca.

Cada vez mais, os especialistas em gestão e empreendedorismo destacam as novas habilidades necessárias a um líder com "L" maiúsculo, as quais permeiam mais o lado humano e de gestão de pessoas do que o lado técnico, voltado a resultados. Saber ouvir, ser tolerante ao erro, comandar pelo exemplo, trabalhar em equipe e de maneira colaborativa são apenas algumas delas.

Olhando para trás, podemos dizer que o século XX foi um grande formador de gestores, mas não de líderes. Nesse período, foram desenvolvidos processos e modelos com o objetivo de organizar as atividades e fazer com que as empresas e os seus colaboradores produzissem e funcionassem como verdadeiros relógios. Com esse foco, surgiram as estruturas hierárquicas e piramidais, a fim de deixar bem claro a linha de comando das organizações. No ditado popular: manda quem pode, obedece quem tem juízo. A velha economia era centrada no custo, baseada na soma preço + custo + margem, e a base de criação de uma companhia era os artigos tangíveis como dinheiro, instalações e produtos. O foco estava na produção, na oferta de mercadorias.

---

[8] LAO TSÉ (604-517 a.C.) – filósofo da China Antiga, a quem se atribui a fundação do movimento filosófico, que mais tarde se transformou em religião, o Taoísmo, cujo objetivo é a obtenção da paz absoluta.

A receita deu certo por décadas e sinalizava que se perpetuaria também no século XXI. Mas não foi o que aconteceu. A virada do século trouxe o *boom* da bolha da internet, a globalização, a queda das fronteiras, a democratização da informação, as novas tecnologias, e uma geração batizada de Millennials passou a questionar os modelos gerenciais praticados pelas empresas. A Nova Economia tem como centro o cliente, e não a oferta de produto. A equação a ser respeitada passou a ser valor = cliente + capital intelectual. Assim, a base para a criação de valor é formada por elementos intangíveis, como a capacidade de capturar a inteligência dos colaboradores e as necessidades dos clientes. O fator decisivo de sucesso é a geração de demanda.

Esse novo cenário trouxe um novo leque de competências exigidas dos líderes contemporâneos como compromisso com o equilíbrio entre vida pessoal e trabalho, com a sustentabilidade e com o bem-estar dos colaboradores. Ao contrário do passado, o executivo do século XXI tem de aprender a vida toda e não pode focar apenas no conhecimento técnico, mas, sim, valorizar cada vez mais a formação humanista.

Sob o novo olhar, ficaram claras as diferenças entre liderança e gestão nos dias de hoje:

- **LIDERANÇA:** foca em ajudar as pessoas a entenderem para aonde a organização está caminhando, aonde quer chegar e como fará para alcançar os seus objetivos.
- **GESTÃO:** apoia-se no entendimento do que é preciso fazer para ajustar o curso e alcançar os objetivos propostos.

Sob esse conceito, entenda as diferenças entre líder e gestor.

| LÍDER | GESTOR |
|---|---|
| Foca na equipe | Prioriza a atividade |
| Trabalha com cultura e visão | Trabalha com metas |
| Desenvolve pessoas | Desenvolve processos |
| Precisa de autoconhecimento | Precisa de método |

Assim, não é difícil perceber que o famoso *top down*, no qual manda quem está em cima e obedece quem está abaixo, não funciona mais.

Não são poucas as definições de liderança que podemos encontrar nos livros, nos artigos de revistas especializadas, na internet e na academia. O tema vem chamando a atenção dos estudiosos há muito tempo. Algumas se alinham mais com o novo cenário, como as que ouvi nas aulas da Fundação Dom Cabral:

- Liderar é cuidar do conviver produtivo, zelando pela prática permanente de valores compartilhados.
- Liderar é fiar os pactos de confiança, cooperação e corresponsabilidade.
- Liderar é um exercício rigoroso de ética no sentido original grego, de respeito à singularidade e ao modo próprio de ser das pessoas e das situações. Ética no sentido de participação no desenvolvimento e no aproveitamento das possibilidades singulares das pessoas e das circunstâncias. Ética no sentido da busca do bem comum e da responsabilidade pelas consequências de suas escolhas e seus atos.

Em sua passagem pelo Brasil, em 2018, Joanna Barsh, sócia da McKinsey & Company e autora, entre outros, do livro *Centered Leadership-Leading with Purpose, Clarity and Impact*, afirmou que os bons líderes precisam de mais que uma boa dose de inteligência e habilidade de execução. Precisam desenvolver a habilidade de gerenciar o próprio pensamento, o que escutam e as suas ações, com o objetivo de conduzir a uma mudança profunda, primeiro em si mesmo, depois no time e, por fim, na empresa. Na prática, reforçou a especialista, têm de dar significado ao trabalho, entender os seus medos, criar conexões, engajar as pessoas e dar energia a elas.

Barsh costuma dizer em alto e bom som durante suas palestras que a melhor coisa que um líder pode fazer é ser o exemplo. Eu assino embaixo. Na Bibi, por todos os cantos, temos a mensagem "Ser o bom exemplo é a melhor forma de irradiação". De nada adianta ter a cultura bem alinhada, a missão, os valores e o propósito espalhados por todo lado na companhia, se a liderança não coloca em prática aquilo que prega. Liderar pelo exemplo significa, entre outras coisas, ser a primeira pessoa a demonstrar envolvimento com os projetos, abraçar as mudanças e inspirar a equipe a seguir pelo mesmo caminho.

Existem quatro elementos, na visão de Barsh, que devem ser seguidos por qualquer gestor disposto a ser um líder respeitado. O primeiro deles é a congruência, isto é, quando a pessoa faz o que fala e, de fato, acredita no que está falando. Na sequência, figuram: entregar o que prometeu, por isso, jamais faça uma promessa que não possa cumprir; ser transparente em relação às suas intenções; e não julgar os colaboradores, aceitando que são seres humanos e, portanto, erram. O líder também erra, é importante nunca se esquecer disso.

O segredo para ser um bom líder concentra-se no desenvolvimento de estratégias assertivas que gerem resultados para a empresa por meio do desempenho da equipe. No papel, parece bastante simples, mas na prática não é. Isso porque as empresas são feitas de pessoas e, ao contrário das máquinas, elas não obedecem apenas a comandos. Por isso, é indispensável saber como lidar com cada tipo de colaborador e adequar a liderança para ser eficiente com cada um. Lembre-se de que, mais do que em qualquer outra época, as equipes têm como característica a diversidade, seja ela de gênero, de cultura, de pensamento, de etnias. E é assim que deve ser cada vez mais, advertem os especialistas.

Portanto, se o líder não tiver habilidade para lidar com as diferenças, com as divergências, e não conhecer profundamente que tipo de profissional cada um é, a tendência é que seu dia a dia se transforme em um verdadeiro inferno, um desastre recheado de atritos e conflitos. Não é esse o cenário que os empreendedores querem para as suas organizações. Não é esse o modelo de liderança que se busca na segunda década dos anos 2000. Exercer a liderança corretamente e gerir pessoas de maneira inspiradora é um exercício que pede dedicação e muito aprendizado. Uma gestão com liderança falha pode comprometer os resultados financeiros da empresa, gerar insatisfação entre os clientes e contribuir para um aumento da rotatividade dos colaboradores, gerando muitas perdas para a organização.

Se pensarmos que até a década de 1990 a razão deveria se sobrepor à emoção assim que as pessoas colocavam os pés no ambiente de trabalho, fica difícil imaginar que no século XXI o gestor que lidera com compaixão estimula a melhor colaboração da equipe, garantindo um maior comprometimento dos colaboradores e reduzindo o índice de rotatividade dos profissionais. Pois foi exatamente isso que confirmou o estudo feito por Rasmus Hougard e Jacqueline Carter, em um artigo da *Inc. Magazine*. A pesquisa, que ouviu cerca de mil líderes e mais de oitocentas empresas, analisou o nível de colaboração entre os membros da equipe em diferentes organizações e chegou à conclusão que a liderança com compaixão era o fio condutor entre as empresas com altos níveis de colaboração interna.

Os pesquisadores revelaram ainda que a compaixão é um ingrediente essencial para promover um compromisso forte entre os colaboradores e a companhia. Eles afirmam que:

*Quando o líder demonstra empatia, mostra consciência sobre a situação do momento e é percebido como alguém que age de maneira justa, os funcionários tornam-se mais comprometidos com a causa e, portanto, estão mais aptos a se esforçarem o quanto for necessário.*

Por fim, o estudo revelou que o nível de rotatividade nas empresas analisadas é 15% menor que o verificado nas organizações de liderança tradicional.

Ninguém melhor que os próprios líderes para alinhar quais serão as competências mais importantes nos próximos anos. Disposta a descobrir quais seriam as respostas, a *Harvard Business Review* desenvolveu, em 2016, o estudo *The Most Important Leadership Competencies, According to Leaders, Around the World* (em português, As mais importantes competências para um líder, de acordo com líderes ao redor do mundo). Foram ouvidos 195 líderes, de quinze países e mais de trinta organizações globais, os quais identificaram cinco papéis que as lideranças precisam executar com habilidade. São eles:

- **CRIAR UM ESPAÇO SEGURO.** Um ambiente de confiança e respeito é fundamental para o bom desempenho dos negócios. Quando as pessoas confiam na liderança, elas tendem a compartilhar novas ideias e se comunicar com liberdade. Esse comportamento abre as portas para a criação de um ambiente de trabalho inovador e colaborativo.
- **EMPODERAR PESSOAS PARA PERFORMAR.** Líderes são motivados por metas. Os melhores líderes definem metas e dão instruções de como alcançá-las com diretrizes claras. Na sequência, capacitam as suas equipes para tomarem as decisões

> É indispensável saber como lidar com cada tipo de colaborador e adequar a liderança para ser eficiente com cada um.

necessárias para conquistar a meta. Uma força de trabalho empoderada será mais produtiva, mais motivada para trabalhar bem e terá maior satisfação naquilo que faz.

- **CONECTAR-SE COM A ORGANIZAÇÃO.** Líderes de alta performance impactam diretamente o desenvolvimento de uma empresa unificada e conectada. Os melhores líderes promovem uma comunicação aberta e se esforçam para que os sentimentos de sucesso e fracasso sejam partilhados por todos. Quando os colaboradores sentem que também são responsáveis pelo sucesso do grupo, eles demonstram mais proatividade e engajamento. Por outro lado, se não houver uma liderança clara nessa direção, eles tendem a não atingir o seu potencial máximo.

- **PROMOVER A APRENDIZAGEM ORGANIZACIONAL.** Os líderes de sucesso demonstram flexibilidade, são abertos a novas ideias e tentam continuamente melhorar as condições de trabalho para todos, independentemente da posição. Garantir um ambiente seguro para que os exercícios de experimentação ocorram, com erros e acertos, é um dos aspectos pontuais da aprendizagem organizacional. Quando as pessoas percebem que têm liberdade para testar novas ideias e que não serão punidas caso algo dê errado, elas tendem a assumir mais riscos. Vale lembrar que são esses erros que abrem caminho para a inovação e ampliam a vantagem competitiva.

- **INCENTIVAR O CRESCIMENTO INDIVIDUAL.** O sucesso de uma empresa no longo prazo depende, entre outras coisas, de uma boa liderança e de melhorias contínuas. Por isso, cabe ao líder se comprometer com o treinamento permanente dos colaboradores em todos os níveis. Líderes que investem no crescimento das pessoas na organização são recompensados com maiores índices de desempenho e comprometimento à empresa.

**AS DEZ PRINCIPAIS COMPETÊNCIAS DE LIDERANÇA DIVIDIDAS EM CINCO GRANDES BLOCOS, NA VISÃO DOS PRÓPRIOS LÍDERES:**

**1 ÉTICA E SEGURANÇA FORTES**
**63%** dos dirigentes acreditam que o líder precisa ter princípios morais e éticos fortes.

**2 EQUILÍBRIO E ORGANIZAÇÃO**
**59%** defendem que o líder deve apresentar objetivos e metas com autonomia para as suas equipes.
**56%** avaliam que o bom líder deve comunicar as expectativas com clareza.

**3 APRENDIZADO EFICIENTE**
**52%** afirmam que o líder deve ser flexível e aceitar que mudar de opinião também faz crescer.

**4 CRESCIMENTO CONTÍNUO**
**43%** asseguram que o líder deve ter compromisso contínuo com o próprio treinamento e aperfeiçoamento.

**5 CONEXÃO E PERTENCIMENTO**
**42%** defendem que o líder deve se comunicar com frequência e sem barreiras.
**39%** acreditam que o líder deve estar aberto a novas ideias e abordagens.
**38%** dizem que o líder deve criar um sentimento de sucesso e fracasso compartilhado pela equipe, e não individual.
**38%** afirmam que é papel do líder ajudar o colaborador a crescer e a se tornar o líder de uma nova geração.
**37%** declaram que o líder deve promover segurança.

Fonte: GILES, 2016.

O grande papel da liderança, portanto, é provocar nas pessoas a sua capacidade criativa e de comprometimento. Ao sentir-se parte de uma grande engrenagem, o colaborador se torna mais participativo, mais disposto a produzir algo que gere benefício, querer fazer coisas novas e ser ouvido. O bom líder percebe esses desejos e é capaz de transformar essa energia em resultados. O líder eficaz partilha o poder, divide as responsabilidades e os ganhos, enxerga o futuro como uma trilha a ser percorrida por todos.

É respeitando essa linha que na Bibi temos vários painéis eletrônicos, nos quais os nossos colaboradores podem partilhar com a companhia nossos sete grandes sonhos. Isso mesmo, sonhos, porque é preciso sonhar para realizar. São eles:

- Ser a melhor marca infantil do planeta;
- A mais inovadora;
- A mais rentável;
- A mais rápida no atendimento ao cliente;
- A mais simples;
- Ter sempre horror à burocracia;
- Ser a melhor empresa para se trabalhar.

Ao contrário dos antigos CEOs, que eram vistos (e muitos acreditavam ser) como verdadeiros super-heróis, os líderes de hoje e do futuro têm de ser confiantes, mas também conscientes de que para inovar têm de dar poder à equipe. Sabem que é preciso trazer as pessoas certas, criar um ambiente de diversidade e deixá-las experimentar, sem punir o erro.

No livro *Reinventando as organizações*, Frederic Laloux afirma que o papel dos líderes nas organizações sai da figura de alguém poderoso, que coordena equipes pelo medo, para seguir na direção do líder como facilitador, aquele que possui um propósito claro para treinar, conduzir e estimular times em prol dos objetivos da companhia. Ele destaca que é preciso parar de ver as pessoas como peças de uma grande engrenagem ou pela denominação de seu cargo. As lideranças precisam entender que o ser humano é complexo e busca um significado para as suas ações. Por conta disso, o líder do século XXI não deve estar atento apenas a entregas e metas, ele tem de aprender a compartilhar, cocriar, se colocar no lugar do outro.

Recentemente, li um artigo de Travis Bradberry, coautor do best-seller *Emotional Inteligence 2.0*, no qual ele dizia que liderança é sinônimo de influência e não um título ou cargo.

> Não é preciso nem mesmo ter pessoas se reportando a você para ser um líder... Um zelador pode influenciar pessoas e liderar da mesma maneira que um CEO. Da mesma forma que qualquer um pode ser um seguidor, mesmo ocupando um cargo de liderança.

Na visão de Bradberry, seguidores fazem o trabalho combinado. Raramente lhes ocorre ir além das funções básicas determinadas pelo protocolo. Os líderes, por sua vez, olham as descrições de cargo como um ponto de partida, enxergando seu real papel como o de agregar valor. E fazem isso sempre que encontram uma oportunidade. Não é preciso ninguém falar. Líderes querem tomar as melhores medidas possíveis, por isso pedem ajuda sempre que for preciso. Atuam como jogadores de uma equipe, não têm medo de admitir que precisam dos outros para serem mais fortes em seus pontos fracos. Seguidores, por outro lado, contentam-se com a segurança de que as coisas permanecerão como estão, enxergam mudanças como algo conflituoso, que os tiram da zona de conforto. Os líderes, ao contrário, maximizam as oportunidades de mudar, buscam aperfeiçoamento constante e, portanto, nunca têm medo de perguntar: O que vem a seguir?

Ainda de acordo com o artigo de Bradberry, seguidores são motivados por fatores externos, como promoções ou aumento de salário, enquanto líderes são internamente motivados. Eles não trabalham esperando receber status ou acumular posses, esses elementos podem vir como consequência, e não como fim. Seguidores são focados na realização pessoal, líderes são jogadores de times, valorizam a grandeza de um feito coletivo.

A diferença entre líderes e seguidores é grande. Não acredito que os empreendedores sejam 100% seguidores e nem 100% líderes por completo. Ora temos características predominantes de um, ora de outros. Atingir a perfeição no comando de uma organização, de uma equipe, é difícil, exige mudanças de comportamento e de cultura. O que não significa que não devemos persegui-la diariamente. Era esse meu objetivo quando estava à frente da presidência da Bibi. É o que digo à minha filha que hoje ocupa o meu lugar. Mais que isso, é o que procuro semear entre todas as lideranças da Bibi, nos mais diversos níveis de comando.

Peter Drucker, de quem já falamos várias vezes ao longo deste livro, talvez tenha sido o especialista que mais facilmente traduziu o novo conceito de liderança, ao afirmar: "Veremos cada vez mais organizações funcionando como bandas de jazz, nas quais a liderança muda de acordo com as circunstâncias e é independente do posto de cada membro". E ele está certo!

## O PAPEL DA GOVERNANÇA CORPORATIVA

Eu não tenho dúvidas de que a união entre um bom líder e a implantação de medidas de governança corporativa é cada vez mais essencial para o funcionamento das companhias, independentemente do porte ou da área de atuação. Cada vez mais, a tomada de decisão deve acontecer de maneira estruturada, de forma compartilhada, sob diversos olhares, e de acordo com objetivos bem definidos.

Na definição do Instituto Brasileiro de Governança Corporativa (IBGC),

> *governança corporativa é o sistema pelo qual as empresas e demais organizações são dirigidas, monitoradas e incentivadas, envolvendo os relacionamentos entre sócios, conselho de administração, diretoria, órgãos de fiscalização e controle e demais partes interessadas.*

Trata-se de um compromisso da organização e, portanto, depende do esforço coletivo. Tem como principais pilares:

- **TRANSPARÊNCIA:** ao informar fatos, sejam eles positivos ou negativos, as empresas criam uma rede de confiança tanto interna – com os seus colaboradores – quanto externa – com os *stakeholders*.
- **EQUIDADE:** trata-se do tratamento igualitário de todos os sócios e partes interessadas na organização.
- **PRESTAÇÃO DE CONTAS:** é quando os agentes da governança mostram as consequências dos seus atos, das tomadas de decisão, ou mesmo das suas omissões.
- **RESPONSABILIDADE CORPORATIVA:** esse princípio valoriza a sustentabilidade, de ordem social e ambiental, da organização, visando à sua longevidade.

Na prática, as ações de governança corporativa têm potencial para transformar os princípios em atitudes que facilitem o acesso ao capital e contribuam para a longevidade da empresa. As pessoas são peças-chave para o bom desenvolvimento do processo de governança corporativa. É certo, contudo, que a responsabilidade maior recai sobre os líderes. Sem boas lideranças, pouco se pode esperar dos liderados. Conforme recomenda o IBGC em seu Código das Melhores Práticas de Governança Corporativa, "os administradores devem buscar o aprimoramento constante das suas competências para aperfeiçoar seu desempenho e atuar com enfoque de longo prazo no melhor interesse da organização".

Quando se fala em governança, logo nos vêm à mente a palavra *compliance*,[9] que anda tão em alta nos últimos tempos. O que isso significa? *Comply*, em inglês, quer dizer "agir em sintonia com as regras". Em termos práticos, significa estar rigorosamente em linha com normas, controles internos e externos, além de todas as políticas e diretrizes estabelecidas para o negócio. A prática do *compliance* assegura que a empresa está cumprindo à risca todas as imposições dos órgãos de regulamentação, de acordo com todos os padrões exigidos de seu segmento, isto é, nas esferas trabalhista, fiscal, contábil, financeira, ambiental, jurídica, previdenciária e nos princípios éticos.

Foram os bancos os primeiros a adotar o conceito, ainda na década de 1990, tendo por foco a adequação jurídica. Com o passar do tempo, porém, percebeu-se

---

[9] Compliance – significa estar absolutamente em linha com normas, controles internos e externos, além de todas as políticas e diretrizes estabelecidas para o negócio. Vale para as esferas trabalhista, fiscal, contábil, financeira, ambiental, jurídica, previdenciária e ética.

que era praticamente impossível implementar procedimentos de conformidade sem posuir conhecimento profundo dos processos internos, metodologias de trabalho adotadas, políticas de estoque, estratégia de gestão de pessoas, técnica de melhoria contínua, entre outros pontos. Diante disso, o conceito ganhou uma abordagem sistêmica, capaz de cobrir do "chão" de fábrica à presidência. Para que os resultados sejam alcançados, é necessário que as empresas alinhem sua função de *compliance* aos objetivos estratégicos, à missão e à visão da companhia.

Para a Endeavor – organização que apoia empreendedores com potencial de impacto econômico e social ao redor do mundo, inclusive no Brasil –, é por meio de ferramentas de *compliance* que uma empresa pode alcançar com maior solidez os seus objetivos estratégicos. A sinergia da empresa com todas as normas, ditames de regulamentação e controles internos eficientes representa um respeito maior às normas de qualidade, à economia de recursos e ao fortalecimento da marca no mercado.

Eu concordo com alguns estudiosos da administração que defendem a posição de que mais que implementar o conceito de *compliance*, a governança corporativa é fundamental para diferenciar a empresa da concorrência e criar valores compartilhados para que a companhia se destaque no mercado de forma positiva. A ausência de um Conselho de Administração e de bons sistemas de governança tem levado empresas senão ao fracasso, pelo menos à perda significativa de participação no mercado. Nesses casos, o abuso de poder é real, os erros estratégicos se multiplicam, assim como as fraudes. Tudo isso tem impacto direto na imagem da companhia e na qualidade dos serviços prestados internamente.

A Bibi começou a flertar com os conceitos de governança ainda no final da década de 1980. Contudo, foi apenas em 1995 que passou a desenhar mais fortemente o seu planejamento estratégico com a definição da visão, da missão, dos valores e do propósito.

**Sem boas lideranças, pouco se pode esperar dos liderados.**

O processo foi evoluindo ano a ano. Nosso primeiro Conselho Consultivo foi formado há mais de dez anos.

Desde o início, nós temos a certeza de que o importante é fazer o simples de uma forma colaborativa, seja na indústria, seja na rede de franquias. Nós sempre procuramos tomar decisões em consenso. Parece fácil, mas posso assegurar que não é. Por exemplo, toda vez que viajamos para pesquisar tendências e desenvolver novos produtos, procuramos ouvir todos os nossos parceiros. Chamamos alguns franqueados, alguns clientes multimarca, alguns profissionais de venda, e apresentamos o protótipo. Ouvimos as opiniões, colocamos o nosso ponto de vista e perguntamos quanto eles estão dispostos a pagar por aquele produto, qual é o valor percebido do produto. Isso significa tomar atitudes de consenso desde o desenvolvimento até o produto final.

Trata-se de um exemplo simples, mas representa a conduta que adotamos para uma série de outras decisões. Quando chamamos profissionais experientes para compor o nosso Conselho, a exemplo da Cristina Franco e do Volnei Garcia, não queremos apenas ouvir elogios. Pelo contrário, queremos ser desafiados por eles; o objetivo é projetar e construir o futuro a várias mãos, somando experiências. Posso afirmar que, apesar de difícil, vale a pena. É sabido que as pequenas e médias empresas dificilmente conseguem manter uma estrutura de governança como as grandes corporações. Todavia, deveriam pelo menos tentar alinhar os seus conceitos, porque num mercado tão competitivo como o que vivemos neste início do século XXI, quanto mais cabeças pensarem juntas, maiores serão as chances de sucesso. Vale a reflexão!

O professor Paulo Vieira, da FDC, em suas palestras, sinaliza para onde as empresas devem olhar e quais os desafios que terão pela frente. Gosto dessa visão:

### UM NOVO OLHAR PARA A EMPRESA
- A empresa passa a ser um lugar de viver e de conviver e, um lugar de felicidade possível e, portanto, buscada.
- A empresa passa a ser vista como um ambiente de valores, de resultados, de liderança, de confiança e de inovação.

- A empresa assume que tem uma identidade que pode ser o seu ativo mais valioso e vulnerável, e o processo de identificação deve ser o objetivo central do trabalho e do esforço de todos.
- A empresa valoriza cada vez mais as variáveis intangíveis que passam a constituir o seu patrimônio mais valioso.
- A ética se transforma em um tema e uma preocupação cotidiana.
- A empresa precisar ter uma preocupação crescente com responsabilidade social e sustentabilidade.

### DESAFIOS PARA REPENSAR A VIDA NAS INSTITUIÇÕES
- Aumentar a confiança e reduzir o medo.
- Tornar menos político o processo de tomada de decisões, explorando a sabedoria das multidões em decisões críticas.
- Humanizar a gestão, utilizando mais as palavras: confiança, amor, beleza e justiça.
- Reinventar o sentido de controle.
- Criar a direção estratégica, convidando muitas pessoas para gerar alternativas vibrantes.
- Viabilizar comunidades de paixão.

## EMPREENDEDORISMO NO PAÍS DAS OPORTUNIDADES

Por **CLOVIS TRAMONTINA**, Presidente do Conselho de Administração da Tramontina

O Brasil é um país para se empreender. Sempre foi. Meus antepassados souberam disso meio intuitivamente, quando chegaram aqui, vindos da Itália. Meu avô sentiu isso quando chegou em Carlos Barbosa, com uma caixa de ferramentas na mão, atrás das oportunidades que poderiam se abrir com a construção da estrada de ferro. De alguma forma, ele seguiu a própria intuição e correu os riscos que essa escolha acarretou. O resto da história a gente conhece. Mas o importante é lembrar que tudo começou com o desejo de empreender. É claro que, no tempo do meu avô Valentin, isso não tinha esse nome. Era a necessidade de trabalhar, viver, pegar uma oportunidade e seguir em frente. Ele abriu uma oficina para fazer reparos em ferramentas e construir canivetes e facas. O espírito empreendedor do meu avô Valentin ficou impregnado na nossa família e, com o passar das décadas, fizemos mais ou menos o que ele nos deixou como exemplo: trabalhar, perceber oportunidades, não ter medo de arriscar. Assim erguemos a Tramontina. O que eu quero dizer com isso? Quero dizer que uma empresa, que tem hoje 8,5 mil funcionários, fabrica mais de 18 mil itens, atende os mercados de mais de 120 países e tem dez unidades fabris no país, começou da mesma forma como surgiram tantas e tantas outras, ainda hoje pequena, improvisada, fruto de um sonho ou de um palpite.

Por isso, é tão interessante falar sobre empreendedorismo e sobre o propósito das marcas para leitores brasileiros. Com a nossa história, já sabemos pelo tato do que se trata esse tema. Basta olhar para trás, recuando pouco mais de uma centena de anos, para perceber que essa trajetória não é exclusividade da Tramontina. Olhe em volta e preste atenção nas médias e nas grandes empresas brasileiras. Quase a totalidade delas tem histórias muito parecidas com a nossa: alguém percebeu uma oportunidade, calculou os riscos e aceitou corrê-los.

Agora, a melhor parte: essa característica não é coisa dos empreendedores do passado. Desde os tempos da Colônia, o Brasil cresceu com a ousadia de seus pequenos e visionários empreendedores. Hoje, o Brasil segue escrevendo sua história com eles. Uma pesquisa feita em 2018 pelo Global Entrepreneurship Monitor – o maior estudo unificado da atividade empreendedora no mundo, que conta com dados de mais de trezentas instituições acadêmicas localizadas em mais de cem países – demonstrou que o Brasil tem uma taxa de empreendedorismo total de 38%. Isso quer dizer que mais ou menos 52 milhões de brasileiros possuem um negócio próprio. E o número vem aumentando. Ainda segundo essa pesquisa, feita simultaneamente em 49 países, o Brasil ocupa uma posição de destaque. Entre os Brics (Brasil, Rússia, Índia, China e África do Sul), somos os campeões, na frente até da China, onde a taxa fica em 26,7%. Outro dado interessante vem de órgãos de pesquisa nacionais, como IBGE e Sebrae: 90% dos empreendimentos do Brasil são familiares. Eles geram impressionantes 65% do Produto Interno Bruto e empregam algo em torno de 75% da força de trabalho do país.

Olhando assim, fica fácil perceber que a Tramontina não é um fenômeno isolado no Brasil. Pelo contrário. Somos uma das maiores empresas de um dos países mais empreendedores do mundo. Um exemplo que se tornou realidade no país em que as empresas familiares, que abrem suas portas de forma simples e pequena, representam a maior potência da economia nacional.

Vivemos em um país que se abriu para o mundo nas últimas décadas – há crescimento, oportunidades e competitividade em qualquer categoria de negócios. Mas, afinal, o que é empreender em um ambiente como o Brasil? Qual é o propósito das marcas que nascem e crescem nesse cenário muitas vezes incerto, outras vezes promissor?

## A RESPOSTA ESTÁ NA LIDERANÇA E NO PROPÓSITO

Ao longo de mais de cem anos de história, a Tramontina vem formulando a reposta: ter um propósito e saber o que se quer é o caminho. O que nos guiou até aqui foi o compromisso de fazer produtos e prestar serviços com qualidade – o que quer dizer bem mais que uma frase bonita. Todos os dias, trabalhamos para entregar significado para a sociedade, e não apenas um mix variado de objetos. Pensamos, criamos e inovamos para que os produtos Tramontina signifiquem algo de importante para as pessoas, para as famílias, para as comunidades em que estamos inseridos – e que são muitas! Ao buscar a eficiência por meio do emprego da tecnologia e da criatividade, concretizamos o nosso propósito constante de entregar valor às pessoas que se relacionam com a marca. Em resumo, entregar o que prometemos. Acho que é isso que destaca algumas marcas e empresas, em comparação a outras. Quem tem um propósito claro ao empreender e luta todos os dias para cumprir esse propósito está construindo, sem perceber, uma marca forte e verdadeira.

É claro que a busca desse propósito ficaria enfraquecida sem um dos elementos mais decisivos no processo de empreender: a liderança. O líder pode ser o patriarca da família, o proprietário da empresa, o jovem cheio de ideias recém-integrado ao time ou um profissional do mercado. Não importa. Ele é o sujeito que conhece profundamente os objetivos do negócio e abre os caminhos para que esses objetivos se concretizem. Com o tato para calcular os riscos e ousar quando necessário, um bom líder é, principalmente, alguém atento às oportunidades, que toma decisões, arrisca, enxerga a realidade estrategicamente e transforma sonhos em projetos. Penso em meu avô Valentin e minha avó Elisa Tramontina, que viram a oportunidade e, por sobrevivência, montaram uma oficina ao lado de uma estrada de ferro em construção.

Atualmente, um dos grandes desafios enfrentados pelos empresários é a formação de lideranças. Muita gente me pergunta como formar líderes. Dou exemplos de muitas coisas que fazemos na Tramontina, mas a verdade é que não existe uma fórmula, um curso, uma apostila capaz de fazer surgir um líder em dez lições. Para mim liderança é, antes de tudo, intuição. Como foi para o meu avô Valentin, para a minha avó Elisa Tramontina, e para o meu pai Ivo e para o Sr. Ruy J. Scomazzon, que ampliaram a empresa. Liderar é intuir, é sentir o momento de correr riscos, o momento de recuar, a hora certa de mudar.

Sempre aconselho os jovens empreendedores a arriscarem mais, mesmo que errem de vez em quando. É claro que eles vão errar. No entanto, o importante é que acertem mais do que errem. E para os meus pares, os empresários que precisam formar lideranças, eu costumo sugerir que deem o exemplo. Nós, na Tramontina, aprendemos muito com o exemplo dos fundadores. Nada melhor que um exemplo, que uma história bem fundamentada em fatos e construída com ousadia e correção para formar um líder genuíno. Em um país em que o percentual de empreendedores só cresce e em que a economia tem nas empresas familiares a sua base mais sólida, a lição do exemplo me parece mais atual e eficiente do que nunca.

Embasar a liderança no exemplo, no entanto, não quer dizer formar líderes que pensem e ajam como os empreendedores do passado. Os antigos transmitiram valores eternos, e isso é o que deve ficar gravado nas gerações que os sucedem. É preciso, porém, entender os novos tempos e dialogar com eles. Nenhuma empresa, nenhum empreendedor, nenhum líder sobrevive e prospera preso somente ao passado. Isso quer dizer, em primeiro lugar, que a tecnologia mudou tudo. Eu cresci em um mundo em que ficávamos sabendo das notícias pela televisão com algum atraso, e tudo o que chegava para nós era visto como verdade inquestionável. Hoje, as redes sociais e a conectividade transformaram o modo como olhamos o mundo, como recebemos e transmitimos informação. Nosso jeito de empreender e de consumir é totalmente diferente. Vivemos em um mundo novo.

Por isso, empreendedores e líderes precisam ter convicções firmes e claras sobre o que é certo e o que é errado – em outras palavras, é preciso ter segurança no propósito a perseguir. Ao mesmo tempo, é fundamental aprender a conviver com as diferenças de opinião, de gostos, de atitudes. Cada ser humano não é mais somente uma pessoa de carne e osso, mas alguém construído também no universo on-line. O empreendedor que não compreender essa dinâmica estará, no mínimo, perdendo oportunidades preciosas, sentado à beira de uma imensa estrada de ferro em construção.

## PAIXÃO E OUSADIA: SERIA ESSE O SEGREDO?

O empreendedorismo é o presente e o futuro do Brasil. Mais que isso, as pequenas empresas têm, na minha visão, a missão de gerar postos de trabalho para empregar a população brasileira. Digo isso porque as grandes empresas, detentoras de alta tecnologia, estão se preparando para implantar ainda mais automação e robótica, aumentando sua produtividade sem, necessariamente, empregar mão de obra na mesma proporção. Já os pequenos negócios, ao contrário, terão espaço para abrir novos postos de trabalho.

Uma pesquisa feita pelo Sebrae revela que, mesmo depois da crise econômica iniciada em 2016, o número de micros e pequenas empresas cresceu no país. Esses empreendimentos foram responsáveis por evitar uma queda ainda maior no nível de emprego. Segundo o levantamento, entre 2006 e 2016, a participação das micro e pequenas empresas no estoque de emprego no país subiu de 53,5% para 54,5%. Em dez anos, foram abertos 1,1 milhão de pequenos negócios, que foram responsáveis pela criação de mais de cinco milhões de novos postos de trabalho.

A imensa maioria desses novos negócios é familiar. Eu, particularmente, não vejo nenhum problema nisso, pelo contrário. Não há demérito em ser uma empresa familiar. Afinal, todas as grandes empresas brasileiras, um dia, foram familiares. O que é fundamental, nesse caso, é que a liderança tenha ousadia na medida certa, para aproveitar as oportunidades. E também que tenha paixão. Pode parecer bobagem, mas não conheço uma história de sucesso empresarial que tenha acontecido sem paixão, sem entrega, sem entusiasmo. Quem está verdadeiramente apaixonado pelo seu projeto, pelas suas ideias e por todas as possibilidades e desafios que o empreendedorismo traz vai saber enfrentar as dificuldades. Um líder apaixonado não espera por governos, por planos econômicos ou por incentivos vindos de fora do negócio. Com paixão, o empreendedor acredita, aposta e investe. O resto é trabalho, paciência e persistência.

Mais uma vez, essa foi uma lição deixada pelos que me antecederam.

E nós, os que vieram depois, aprendemos como a paixão e a ousadia podem nos levar longe.

# Capítulo 7
## CHEGOU A HORA DE PASSAR O BASTÃO. E AGORA?

**D**e cada cem empresas familiares no Brasil, trinta chegam à segunda geração e apenas cinco sobrevivem à terceira, de acordo com dados do Instituto Brasileiro de Geografia e Estatística (IBGE). Nascem com o avô e dificilmente sobrevivem aos netos. Toda vez que me deparo com essa realidade estampada em jornais, revistas especializadas e na internet me sinto orgulhoso da posição tomada pela Calçados Bibi e, ao mesmo tempo, desolado pela falta de disposição de muitas companhias em mudar esse cenário.

Fico tão ou mais inconformado, ainda, ao constatar que a falta de preparação para uma sucessão sólida, capaz de garantir a perenidade da empresa, não é uma exclusividade nacional; pelo contrário, permeia as organizações familiares ao redor do planeta. Em 2018, a consultoria PwC trouxe o assunto à tona, quando divulgou a pesquisa *Global Business Family Survey 2018: The Values Effect*. O resultado assustou: 44% das empresas familiares não têm um plano de sucessão. No Brasil, esse número é ainda maior, alcançando 72,4% para os cargos-chave, revela o Instituto Brasileiro de Governança Corporativa (IBGC), no estudo *Governança em empresas familiares: evidências brasileiras*:

**CARGOS PARA OS QUAIS NÃO HÁ PLANO DE SUCESSÃO**

| CARGO | ÍNDICE (EM %) |
|---|---|
| Diretor-presidente | 22,6 |
| Cargos-chave (diretoria, gerência e supervisão) | 21,1 |
| Presidente do Conselho de Administração | 19,6 |
| Demais conselheiros | 17,9 |

Fonte: Mattos et al., 2019.

A falta de preparação para passar o bastão não se restringe aos clãs familiares. Imagine que os principais executivos ficam, em média, 6,3 anos no posto, ante 8,1 anos de uma década atrás, conforme levantou a consultoria Booz&Co. O alerta soa ainda mais alto se levarmos em conta que os Millennials, a chamada Geração Y, não têm por comportamento característico esquentar cadeira por muito tempo. Se não atendem às suas crenças, abrem mão do cargo e do trabalho. São capazes de aceitar salários menores por um propósito maior.

Nessa minha busca constante por informações nessa área, deparei-me com uma reportagem da revista *Exame*, que dizia que no Brasil, entre cem companhias com faturamento entre 500 milhões e 5 bilhões de reais, pesquisadas pela consultoria de recrutamento de altos executivos Fesa, 59% tiveram três ou mais presidentes nos últimos dez anos, com mandatos médios de cerca de três anos para cada um. Segundo a pesquisa, embora a rotatividade fosse alta, 37% delas não tinham sucessores preparados para substituir os presidentes e 82% não tinham uma data definida para a troca de comando. A saída para 65% das organizações foi buscar profissionais no mercado para ocupar a presidência. Um risco, na minha opinião. Executivos de mercado normalmente custam mais caro para serem contratados e podem não se adaptar à cultura da empresa. A publicação da reportagem coincidiu com o início do processo de preparação da sucessão na Bibi.

Foram sete anos de análise de quatro candidatos: Andrea Kohlrausch, Rosnei Alfredo da Silva, Rosnaldo Inácio da Silva e Camila Kohlrausch. Todos tiveram as mesmas oportunidades e os mesmos desafios, desenvolvendo competências. Passaram por várias áreas da companhia, fizeram cursos de aperfeiçoamento, viajaram ao exterior para conhecer novos mercados, suaram de verdade. Eu acompanhava tudo de perto, via o esforço e o desenvolvimento de cada um, porém desde o início sabia que a decisão não seria apenas minha. Quando estamos à frente de uma empresa familiar, a tendência é tomarmos muitas decisões movidos mais pela emoção do que pela razão.

Eu tinha duas filhas trabalhando para ocupar uma única cadeira, o mesmo acontecia com o outro sócio da Bibi, cujos dois filhos estavam no mesmo processo. A decisão de escolher a Andrea como a minha sucessora na presidência da empresa que seu avô fundou foi feita com a ajuda dos diretores e do Conselho Consultivo. Até 25 de abril de 2019, quando terminei meu mandato, Andrea era a responsável pela área de varejo e expansão de franquia da rede. Sua escolha teve como base o desafio dos anos seguintes para perpetuação da companhia, que deve estar preparada para enfrentar o futuro e acompanhar as mudanças relacionadas à transformação digital.

Após o anúncio, Camila, Rosnaldo e Rosnei se colocaram à disposição para auxiliar de forma efetiva a nova gestão. Camila assumiu a diretoria de desenvolvimento de produto, marketing e franquias; Rosnei passou a dirigir as áreas administrativa e financeira; e Rosnaldo ficou à frente da diretoria de competitividade. O processo foi gradativo, de modo que colaboradores e franqueados não fossem impactados de uma hora para outra. Todos estavam a par de todo o cronograma e sabiam há tempo que na data em que a Bibi completasse setenta anos eu deixaria a presidência, depois de mais de quarenta anos no cargo.

## UM EXERCÍCIO DE LONGO PRAZO

A preparação, confesso, não foi só da terceira geração. Foi minha também. É difícil deixar o lugar. Se o líder não enxerga a hora certa de sair, a companhia perde a visão de longo prazo. O líder precisa enfrentar a própria resistência em sair. Sempre digo que quem tem de puxar o processo de seleção é o número 1 da empresa. O líder tem de preparar a cabeça para sair, deixar o comando. Os quatro candidatos ao cargo de presidente passaram por um processo de preparação na Bibi que eu não tive lá atrás, quando assumi a presidência. Um processo que o meu sogro também não vivenciou, pois tomou a decisão de deixar o comando em um momento de necessidade. Por isso, insisto que a preparação é o melhor caminho. Ainda bem que mais empresários começaram a pensar dessa maneira. Há quinze anos, apenas entre 10% e 20% das empresas familiares caminhavam nessa direção, na percepção da consultoria Hoft, especializada em transição de gerações. Em 2017, esse percentual subiu para a faixa entre 40% e 50%.

Eu concordo com o pensamento de Jean Claude Ramirez, da Consultoria Bain & Company, quando ele diz que um plano de sucessão eficiente deve envolver todos os níveis hierárquicos, que a sucessão deve fazer parte da cultura da empresa. Portanto, a preparação de um candidato interno

**De cada cem empresas familiares no Brasil, trinta chegam à segunda geração e apenas cinco sobrevivem à terceira.**

para assumir a presidência deve ser, necessariamente, um processo de longo prazo. Não falo de meses, digo anos mesmo. Imprevistos acontecem. Mortes, doenças, interdições... por isso, é importante que o processo de sucessão esteja em andamento, mesmo que a intenção do presidente seja deixar o cargo num futuro distante.

O processo de planejamento da sucessão, contudo, não deve ser feito apenas da primeira para a segunda geração, afinal muitas companhias fecham as portas quando a direção chega aos netos do fundador. Assim, é fundamental identificar as expectativas de cada membro da família em relação ao negócio, os planos de cada um e quem realmente está interessado em dar continuidade à empresa. O chileno Jon Martinez, que integra a equipe do Centro David Rockfeller de Estudos Latino-Americanos da Universidade de Harvard, reforça em suas palestras que, antes de assumir uma função dentro da empresa da família, os herdeiros deveriam trabalhar em outras companhias e acumular experiência. Eu acho uma ótima ideia, porque ajuda não só a criar "uma casca dura" em relação às agruras do cotidiano de uma empresa, como também deixar mais transparente as capacidades do herdeiro. Muitas vezes, os pais esquecem que o talento para comandar empresas não é inerente a todos os membros da família. Há casos em que nenhum herdeiro se encaixa, por exemplo.

Também defendo a ideia de a preparação começar em momentos bons da organização, pois, quando as coisas não vão bem, podem surgir conflitos, tensões, e fica muito mais complicado definir o processo de sucessão. Tudo vira motivo para brigas.

Diversas organizações têm adotado as práticas e as regras de governança corporativa para a formação de seus sucessores, seja levando as novas gerações a ocupar posições fundamentais para o seu aprendizado, seja pela melhor formação dos escolhidos. Na Bibi, não foi diferente. Andrea, por exemplo, tem MBA em Gestão pela Fundação Dom Cabral, de Minas Gerais; especialização em Liderança pela FDC/Kellog School of Management em Evanston (EUA); ela implantou a área internacional de expansão da Bibi e, em 2008, liderou a estruturação da Bibi Franchising. Ela se preparou para capitanear a empresa da família no futuro.

Esse processo de transição, além de promover vivência e troca de experiências entre gerações e gestores, exige mudança de comportamento tanto por parte do sucessor quanto do sucedido. Para o sucessor, é importante entender que a sua atuação não será de herdeiro, e, sim, de gestor, devendo priorizar os interesses da empresa acima dos pessoais. É importante, ainda, que esteja alinhado com os valores e os princípios da organização e da família, respeitando a história construída e os ensinamentos passados entre as gerações.

Quem está prestes a passar o bastão, por outro lado, deve trabalhar a ideia de que o afastamento gradativo do seu cargo, por meio de um processo de interação e transmissão de funções, trará novas perspectivas ao negócio, possibilitando um maior interesse e comprometimento de seus sucessores pela continuidade da empresa. Erra o líder que não vê a transição como uma ponte para o novo papel em que ele orientará a nova geração.

## FALTA CULTURA PARA TRATAR DA SUCESSÃO

John Davis, fundador e presidente da Cambridge Advisors to Family Enterprise, considerado uma das maiores autoridades mundiais em gestão de empresas familiares, enfatiza em suas palestras pelo mundo – ele já esteve várias vezes no Brasil – que um dos maiores desafios enfrentados pelas empresas familiares durante a sucessão é não enxergar quando a empresa está crescendo além da capacidade da família. Autor de vários livros sobre o tema, ele assegura que

*nenhuma família tem todo o talento de que uma empresa precisa. Os membros precisam ser honestos sobre suas capacidades e limitações. Quando muitos cargos ficam com familiares, eles negligenciam o recrutamento de uma equipe altamente capaz de fazer uma empresa crescer.*

Para John Davis, o sucessor deve ser preparado desde criança.

*Ele deve ter ideias novas, frescas, e não repetir os passos do fundador porque se isso acontecer, se a empresa não mudar, não inovar, ela está fadada ao fracasso. Essa é uma tarefa muito difícil, pois geralmente o fundador quer a continuidade de seu trabalho e visão, e isso pode*

**O líder tem de preparar a cabeça para sair, deixar o comando.**

gerar conflitos. Mas para o bem da saúde financeira das empresas, as mudanças têm que ser bem-vindas.

Ele observa, ainda, que

os problemas nas empresas familiares ocorrem geralmente na terceira geração da família. Na primeira, o fundador torna a companhia grande. A segunda leva adiante o que foi construído pela geração anterior. E na terceira geração, a dos netos do fundador, é mais difícil conseguir um membro com espírito inovador, exatamente o que mais a companhia necessita.

Em conversas com outros empresários, é comum esbarrarmos em realidades como a descrita por John Davis. Mas é surpreendente como ainda se têm nas empresas familiares uma visão distorcida do papel dos acionistas, que muitas vezes são herdeiros e passam a enxergar o negócio como continuidade da família. Por conta disso, não conseguem separar os papéis de herdeiro, acionista, sucessor, gestor e dono de um patrimônio. Essa visão distorcida é uma das causas da pouca longevidade das corporações. Li que, nos próximos dez anos, pelo menos mil das maiores empresas nacionais comandadas por grupos familiares estarão enfrentando o processo de sucessão. Tem lógica, pois o parque industrial brasileiro ganhou fôlego nos anos 1960 e 1970, o que nos leva a intuir que seus comandantes estão na faixa dos 60 anos e começam a passar o bastão.

Trata-se de um momento delicado para as organizações, pois boa parte dos grupos familiares brasileiros tende a adiar as discussões sobre a sucessão o máximo possível. As justificativas são as mais variadas: o fundador ainda está vivo, não precisamos tratar disso; ainda existe uma figura forte no poder que carrega o DNA do negócio; as pessoas se sentirão melindradas se tratarmos desse assunto antecipadamente; ou, ainda, porque o time ocupa uma posição confortável no mercado e, como diz o ditado popular, "em time que está ganhando não se mexe".

Um dos exemplos mais disseminados no mundo empresarial do quanto a ausência de um planejamento sucessório fez falta e determinou o fim do comando da família na empresa é o da Cofap. Abraham Kasinski e os filhos nunca se entenderam. Só se comunicavam por meio de advogados. Para Kasinski, fundador da Autopeças Cofap, falecido em 2012, o desfecho foi péssimo. Depois de muitas brigas, ele cortou em definitivo as relações com os seus dois filhos. Após tentar tirá-los da companhia por vias judiciais, sem sucesso, vendeu a empresa para a italiana Magneti Marelli, em 1997.

Para não amargar desfechos como o da Cofap, vale ficar atento ao que não fazer na preparação do processo de sucessão:

- **ACREDITAR QUE É POSSÍVEL FAZER TUDO SOZINHO.** Ninguém é super-homem e sequer entende de tudo. Além disso, tem o fator emocional, que nessa hora não deveria pesar, mais sabemos que pesa – e muito. O tema é complexo e pede a ajuda de consultorias especializadas, porque envolve aspectos jurídicos, administrativos, tributários, psicológicos, entre outros.
- **ACREDITAR NA CAPACIDADE DE ENTENDIMENTO DA FAMÍLIA PARA SEMPRE.** Não é porque os irmãos não brigam que, na hora de assumir o comando ou dividir as ações, tudo será lindo. É essencial antecipar as probabilidades de conflitos e estabelecer regras para quando os pais ou os avós faltarem e a empresa mudar de comando. Quantas vezes não se repete a história: no casamento é "meu bem", na partilha são "meus bens".
- **ACREDITAR QUE O MOMENTO DE PASSAR O BASTÃO AINDA ESTÁ LONGE.** Nunca é cedo demais para começar o processo. A criação das estruturas e dos pilares que permitirão uma transição bem-sucedida deve ser iniciada a qualquer tempo, de preferência, com anos de antecedência.
- **ACREDITAR QUE O MODELO QUE DEU CERTO PARA UMA EMPRESA TAMBÉM DARÁ PARA A SUA.** O processo de sucessão deve ser customizado, levando em conta os interesses dos envolvidos, a cultura familiar, a estrutura jurídica e operacional dos negócios, entre outras coisas.

## PREOCUPAÇÃO TAMBÉM NO UNIVERSO DAS FRANQUIAS

A Bibi completou setenta anos em 2019, porém desembarcou no universo das franquias há pouco mais de uma década, em 2008. É uma novata em meio a redes criadas na década de 1980. Embora o sistema de franchising tenha chegado ao Brasil nos anos 1950, foi nas décadas de 1980 e 1990 que o modelo ganhou envergadura no país. Isso significa que boa parte das redes nacionais começa a alcançar quase quarenta anos de operação e, consequentemente, a entrar no primeiro ciclo básico de transição, com o fundador começando a pensar na aposentadoria. Há exemplos muito bem-sucedidos nesse caminho, entre eles o do grupo O Boticário, considerado a maior rede de franquias de beleza do mundo, com mais de quatro mil lojas no Brasil e no exterior. Mas não hesito em dizer que está mais para exceção que para regra. A palavra sucessão ainda é vista com reservas pelo setor.

Em uma conversa com a consultora Ana Vecchi, da Vecchi Consulting, confirmei o que já vinha observando há um bom tempo: a discussão em maior ou menor profundidade depende do grau de maturidade da rede. Ana comentou que, no momento de formatação de uma rede para o modelo de franquia, esse assunto nunca é discutido. Para ela, "o franchising, na maioria dos casos, é uma consequência do varejo que deu certo, e assim como acontece no varejo, o assunto sucessão só começa a aparecer nas conversas quando o franqueador começa a envelhecer". Como muitos estão entrando na faixa dos 60 anos, alguns ainda aos 55, outros já próximos dos 70, já se enxerga algum movimento nessa direção. Algumas redes recorrem aos sistemas de governança para profissionalizar a troca, outras tentam resolver o problema dentro de casa. Muitas vezes, como bem lembra Ana, é a própria rede que cobra da franqueadora uma posição, porque os franqueados querem saber qual será o futuro da marca.

A abordagem já evoluiu muito em relação a um passado recente, mas ainda está longe do ideal. Pelo menos é o que diziam especialistas como Tereza Roscoc, professora da Fundação Dom Cabral, em uma reportagem publicada pelo jornal *Valor Econômico*: "Um dos principais erros do franchising é o de minimizar a necessidade de preparo antecipado. Os empreendedores ainda acreditam em soluções mágicas, acham que a coisa acontecerá naturalmente".

Ao contrário da maioria dos negócios, as franquias têm dois momentos de sucessão: o do franqueador e o do franqueado. No caso específico do franqueado, alguns dos principais motivos para a sua substituição devem estar bem detalhados em contrato. Andrea Oricchio, especialista em direito empresarial com ênfase em franquias, alerta que é preciso prever de forma legal o que fazer em caso de morte, invalidez ou interdição do operador. "Cada contrato de franquia tem as suas próprias regras, mas isso não significa que a sucessão seja natural, ou seja, não é porque o filho do franqueado cresceu convivendo com a franquia que ele assumirá o posto na hora que o pai deixar a operação", comenta.

O processo é mais complicado. Não basta a família achar que o herdeiro está preparado e é a pessoa ideal para assumir a operação, a franqueadora precisa aprovar essa escolha. Caso isso não aconteça, existem duas saídas: o negócio é liquidado e a família recebe o dinheiro do encerramento, ou a franqueadora tenta fazer o repasse para outro franqueado. Mas tudo isso tem de estar bem claro no contrato, porque, como lembra Andrea Oricchio, não é obrigatório por lei nem requisito básico do contrato de franquia. "Os herdeiros terão preferência na avaliação, mas isso não será garantia de passagem de bastão", diz.

Como podemos constatar, sucessão é algo mais complexo que a maioria dos empresários acredita. O desafio é grande para todos os perfis de empresas, das grandes companhias de gestão familiar às redes de franquia, e não poupa nem mesmo as pequenas empresas, que acabam muitas vezes engordando as estatísticas de fechamento por falta de um preparo maior na escolha de quem dará continuidade ao negócio fundado pelos pais ou pelos avós. Por fim, quem ainda não pensou nisso, recomendo que pense. E quem já pensou, saiba que já passou da hora de agir!

### GOVERNANÇA E SUCESSÃO NAS EMPRESAS FAMILIARES
Por **VOLNEI GARCIA,** diretor da CEDEM e professor da Fundação Dom Cabral

As empresas familiares predominam no mundo empresarial. Mas isso não significa que são longevas. Algumas chegam à segunda geração, poucas chegam à terceira e raras chegam à quarta. Excluindo os casos de venda da empresa, que são naturais no mundo dos negócios, cabe perguntar se essa alta taxa de mortalidade é inexorável ou se existem outras perspectivas?

Um professor com quem aprendi muito falava uma frase engraçada, mas verdadeira: "empresa é bicho morredor". De fato, empresas em média não têm vida muito longa. Raras são as que transcendem a geração de seus fundadores, independente do porte a que tenham chegado. Se tomarmos as lições da biologia ensinadas por Darwin, na qual aprendemos que sobrevivem as espécies que melhor se adaptam, a conclusão é que as empresas têm dificuldades em se adaptar – por isso morrem. E as empresas precisam se adaptar ao ambiente externo para se manterem competitivas, mas também ao ambiente mais próximo, das relações societárias, especialmente se submetidas a mudanças na estrutura de poder.

As relações familiares são, por natureza, complexas, permeadas por sentimentos diversos – quase que extremos algumas vezes, amores e ódios. A falta de saúde emocional muitas vezes aparece como questão central, começando pelos conflitos dos fundadores, na maioria das vezes desconhecidos ou negados, passando pelas difíceis relações entre gerações ou pelas disputas entre irmãos e primos. Há que se ter uma ponta de saúde que permita a essas famílias terem a noção de que sem coesão não existirá futuro, portando todos perdem num ambiente conflituoso. E a confiança é a grande cola que mantem a possibilidade de unidade. E tem de haver um esforço consciente, deliberado, se possível estruturado, para construir o ambiente que permita que se construam consensos mínimos. Infelizmente muitas famílias, após terem conquistado patrimônios e condições financeiras privilegiadas, por motivos que desconhecem, se autossabotam, pondo a perder o que construíram com muito esforço. Então, caso se queira construir um legado, esforços terão de ser canalizados para evitar essas sabotagens.

Então é fundamental garantir unidade familiar e coesão societária, criando mecanismos que contemplem interesses dos sócios, ativos ou não na empresa, e tratando o negócio como negócio. Significa entender que a empresa é "bem comum", mecanismo que tem por finalidade gerar valor para os acionistas e demais *stakeholders*. Sendo a empresa bem sucedida, ganham seus sócios e demais públicos. Se for mal, perdem principalmente seus proprietários. Então, à medida que pulveriza o capital, a construção da coesão societária é o primeiro e principal mecanismo de sustentação da sociedade e, por consequência, do negócio. A estruturação da governança é o mecanismo que sustenta a coesão e o governo ou o controle dos sócios sobre o negócio. A clareza e separação de papéis das instancias da governança remeterá, por consequência, os assuntos aos fóruns adequados de decisão para assuntos familiares, societários e de gestão.

Para todas essas questões é necessário um aprendizado, não apenas resolvendo questões pontuais, mas educando a família para que compreenda seu papel nas diferentes dimensões: família, propriedade e gestão. Aqui há que se ter cuidado com os imediatismos, que tratam de questões urgentes, algumas vezes com receitas de bolo ou velhas fórmulas, mas não desenvolvem a família empresária para a construção da catedral, isto é, um legado de longo prazo. Isso exige um pouco mais, especialmente mecanismos que promovam relacionamentos construtivos, quem sabe baseados em bons afetos e no orgulho de "perpetuar" o sonho com origem familiar. Exige conhecimento capaz de gerar o discernimento necessário – salvo quando as questões afetivas e emocionais se sobrepõem à razão, para bem definir as regras do jogo. Se houver um atravessamento sério das questões afetivas e emocionais, essas se tornarão o grande sabotador do futuro. Buscar saúde emocional se torna imperativo.

As principais questões afetivas e emocionais envolvem os próprios fundadores e, sem desprezar o papel dos cônjuges, as relações entre estes e seus herdeiros, e também entre os próprios herdeiros. No caso dos fundadores, autores como Manfred Ketz de Vries e Miguel Gallo, por exemplo, abordaram os principais conflitos vividos por eles. Muitas vezes vindo de histórias familiares muito difíceis, trazem marcas que cobram seu preço. Podem ter vivido relações parentais muito complicadas, com autoritarismo, menosprezo, abandono, entre outras coisas, cujas consequências não conseguem controlar. Por conta disso serão autoritários, centralizadores ou competitivos, precisando continuamente afirmar seu valor devido a sentimentos de baixa autoestima. Poderão também negligenciar as

**As relações familiares são, por natureza, complexas.**

relações afetivas, notadamente em relação aos filhos, gerando nestes sentimentos de raiva e abandono e, consequentemente, dificuldade de relacionamento. E, tendo com o negócio uma espécie de confusão de identidades, serem incapazes de se diferenciar da empresa e com isto boicotar ou inviabilizar a passagem de bastão. Significa que não conseguirão abrir mão do controle da sua obra, adiando ou nunca pondo em pauta a sucessão.

Os demais conflitos envolvem a relação dos fundadores com a nova geração e os relacionamentos entre irmãos ou entre primos. No caso da relação dos fundadores com a segunda geração, os primeiros tendem a repetir com seus filhos o modelo aprendido com os pais. Se tiveram pais autoritários, a chance de replicarem com seus filhos o mesmo modelo será alta e isso tende a afastar os herdeiros da empresa ou fazer com que as relações nela sejam permanentemente conflituosas. De outro lado, os filhos pretendem construir seus próprios caminhos e sua identidade. Para isto, práticas de rebeldia podem aparecer. A própria escolha de estarem na empresa ou não pode ter sido imposta ou apenas uma fuga para a zona de conforto. Em ambos os casos a chance de frustração é grande, implicando na inviabilidade de se tornarem líderes viáveis para a sucessão.

Por fim, os conflitos entre irmãos também não podem ser desprezados. Quase sempre fundados na disputa pelo afeto de pai e mãe, repercutem ao longo da vida e normalmente implicam em disputas, falta de entendimento na dimensão societária e inviabilidade de convívio no ambiente da empresa. Tristemente, muitas vezes acabam em brigas – mesmo disputas físicas, irreversíveis e inviabilizadoras da continuidade do negócio. Nestas situações a ajuda externa, se não tardia, pode auxiliar na construção de soluções negociadas, evitando a perda do negócio e do próprio patrimônio. É hora de definir as regras do jogo e de se ter o compromisso de respeitá-las e cumpri-las.

Para se manterem competitivas no ambiente externo, as empresas precisam de liderança, capacidade de atualizar sua proposta de valor e boa gestão – especialmente bons controles. Se considerarmos que uma empresa existe para gerar valor para seus vários *stakeholders*, especialmente seus sócios ou acionistas, o zelo maior da gestão será no sentido de preservar os interesses desses. Acontece que as empresas crescem e precisam ampliar suas estruturas, de certa forma distanciando seus "donos" de tudo o que acontece no seu dia a dia e, em consequência da sucessão patrimonial com a entrada de novos sócios, muitos deles não atuantes, precisam de novas ferramentas que deem a eles instrumentos de vigilância e exercício do poder capazes de manter o alinhamento não somente em relação aos seus objetivos, mas também em relação às várias exigências externas, incluindo as de entidades reguladoras, de fornecedores de capital e outras. Ou seja, precisam de instrumentos que garantam aos seus controladores, especialmente, que estão sob governo e orientadas na direção correta.

No mundo corporativo estes instrumentos foram agrupados sob o guarda-chuva do que se chama governança. São várias as definições de governança, mas podemos dizer que é "o conjunto de princípios e normas ou regras que regulam sua atuação, incluindo as várias instâncias de poder". Levando em conta, conforme acima, que muitas vezes as instâncias de poder são exercidas pelos donos, mas não só por eles, como também por agentes contratados, podemos estabelecer uma separação de papéis. Isto é, temos os proprietários que "são" o poder e os seus contratados, chamados gestores, que atuam em seu nome de forma delegada e, portanto só tem poder na medida que os primeiros lhes concedem. O gestor pode ser um familiar ou não. Pode surgir, então, o conflito de interesses entre proprietários e gestores. As instancias e regras de governança terão que ser capazes de resolvê-los.

Cabe aqui um pequeno parêntese em relação às empresas familiares, onde é comum que os papéis de proprietários e de gestores sejam exercidos pelas mesmas pessoas ou por seus familiares, que se veem como donos e não conseguem diferenciar esses papéis. O protecionismo dos pais ou outros parentes, a confusão de papéis normalmente sustentada por questões emocionais não bem resolvidas no ambiente familiar e a falta de normas claras para atuação, caracterizam um cenário onde o real objetivo do negócio, que é o de gerar valor para sócios, sociedade e outros *stakeholders*, fica em segundo plano. Nestes casos, o exercício do poder saudável deixa de ser exercido e as atitudes e ações já não mais atendem aos objetivos organizacionais.

As ferramentas de governança vem apoiar o processo de estruturação, definindo papeis e instâncias de poder, estabelecendo princípios e normas de atuação, assim como as ferramentas de controle. O ponto de partida se dá pela definição por parte dos sócios, notadamente dos controladores, do regramento para o exercício do poder envolvendo principalmente os seguintes aspectos: qual será a estrutura de gestão e como serão eleitos os administradores, nas diferentes instâncias (conselho, diretoria...), como será exercido o direito de voto (compromissos mútuos e restrições previamente combinadas) e como será feita a distribuição dos resultados. Normalmente um acordo societário define estas regras. Para garantir longevidade a essas regras, os sócios normalmente estabelecem mecanismos que restringem transações com ações, a não ser sob condições preestabelecidas, dando estabilidade ao que se chama "bloco de controle" e, portanto, garantindo continuidade à gestão.

Portanto, e especialmente no caso das empresas familiares, o acordo societário é o instrumento base da estabilidade. É ele que regrará as questões acima, além de outras como, por exemplo, quais são as políticas de entrada e saída de familiares na gestão. É ele que define a estrutura de governo da empresa, a quem caberá decidir sobre os rumos do negócio, monitorando o desempenho dos gestores, incluindo os que forem membros da família, e adotando as medidas corretivas necessárias.

Por fim, a sucessão, que em geral é o tema mais falado e que mais preocupa as empresas familiares, tende a ser naturalmente equacionada pelo sistema de governança – que estará sustentado pelo acordo societário. Organizada de forma adequada, a governança atribuirá normalmente a um conselho a decisão sobre a sucessão. Um conselho maduro, especialmente se atuante junto a proprietários conscientes, conduzirá com sabedoria o processo sucessório, acompanhando a preparação dos potenciais sucessores, escolhendo de forma a proteger os acionistas e dando suporte ao escolhido. A escolha do sucessor não se dará pelo sobrenome. Deve ser pautada pela competência, de preferência avaliada com a ajuda de pessoas não envolvidas emocionalmente com o ambiente familiar. E será continuamente avaliada em relação à necessidade da empresa.

Para que a empresa não confirme a máxima "pai rico, filho nobre e neto pobre", o desenvolvimento dos sucessores se apresenta como investimento indispensável. Merece particular admiração a família que estabelece "régua alta" para seus filhos no que tange à sua formação. O processo inicia com a educação dentro de casa. Famílias com valores sólidos e sustentadas em boas relações afetivas, em geral terão filhos com bom caráter e que se mostrarão comprometidos com a busca da excelência pessoal. Livres para fazer suas escolhas – trabalhar na empresa ou não, as novas gerações estarão preparadas para a vida, sendo capazes de construir identidade própria, independente. Filhos com independência pessoal provavelmente são o melhor legado de uma família. Filhos independentes não dependerão da empresa, terão alternativas de vida e só estarão na empresa se sua vocação for essa e se tiverem competências adequadas. Fora da empresa poderão se tornar sócios construtivos, contribuindo para a sustentação da coesão societária e apoiando aqueles que estarão na empresa. A educação formal complementará e os levará aos padrões de excelência e maturidade pessoal. Precisarão compreender que o aprendizado é contínuo, não podem parar de se desenvolver. Saberão que o esforço e a dedicação são imprescindíveis para que se mantenham competentes nas três dimensões: conhecimentos, habilidades e atitudes.

No caso das empresas familiares, o ciclo não estará encerrado. À medida que as gerações se sucedem e a propriedade se pulveriza, surge a necessidade de educar a família para exercer ao longo do tempo seu papel de forma adequada na gestão patrimonial. Separado da governança do negócio que tratamos acima, surge a necessidade de cuidar da governança da família, o que em geral é bem mais complexo, porém talvez mais importante. Sempre levando em conta o porte da empresa e o tamanho da família, mecanismos jurídicos e de governança auxiliarão a endereçar os temas deste capítulo. As *holdings, family offices* e o conselho de família são exemplos desses mecanismos. A educação das novas gerações a respeito de suas responsabilidades como herdeiros, futuros sócios e controladores pavimenta o caminho para a longevidade da sociedade e da empresa. A familiaridade com as práticas de governança e até mesmo de gestão, a busca de competências básicas para que tenham a massa crítica para poderem contribuir com o aperfeiçoamento dessas práticas, representa perspectiva de que o negócio seja bem sucedido ao longo do tempo.

# Capítulo 8
## O ETERNO JOGO DO ESFORÇO × CONFORTO

Evolua você, não espere que os outros mudem. Ao longo de toda a minha vida, eu cultivei esse pensamento e fiz questão de transmitir isso para as minhas filhas e para aqueles que me cercavam, seja na vida pessoal ou profissional. Nunca transferi para o outro uma responsabilidade que fosse minha, mesmo que lá no fundo não tivesse tanta certeza de que daria conta da tarefa. Talvez seja esse meu lado destemido somado a uma boa dose de autoconfiança que tenha me levado a aceitar o convite do meu sogro, lá na década de 1980, e assumir a presidência de uma empresa à beira da falência. Sair da zona de conforto, porém, não é fácil. Não é todo mundo que está disposto a correr riscos, mesmo que seja essa uma das principais características de um empreendedor de sucesso.

A zona de conforto está muito presente no cotidiano das pessoas, principalmente no âmbito profissional. Há estimativas de que 97% das pessoas optam por esse tipo de comportamento e apenas 3% batem fora do bumbo, ou seja, estão dispostas a abraçar desafios, correr riscos, aproveitar as oportunidades que cruzam o seu caminho e tirar o máximo da vida. E olha que não estamos falando apenas dos colaboradores; boa parte dos empreendedores prefere a zona do conforto ao esforço, principalmente quando a organização alcança certa estabilidade. Eu olho ressabiado para esse tipo de postura. Mudanças são muito bem-vindas para estimular e motivar não só a liderança, mas também toda a equipe que se vê obrigada a deixar a zona de conforto.

Gosto muito de uma frase do dramaturgo, romancista e jornalista George Bernard Shaw, quando ele diz:

> As pessoas estão sempre culpando suas circunstâncias pelo que elas são. Eu não acredito em circunstâncias. As pessoas que progridem nesse mundo são as que se levantam e

procuram pelas circunstâncias que elas querem. E se não conseguem encontrá-las, as criam.

Seguir por esse caminho dá trabalho, muitas vezes tira o sono, aumenta as chances de erro, mas, quando dá certo, a sensação é impagável. Na verdade, nem sempre é agradável permanecer na zona de conforto, é incômodo; o que nos leva a optar por ela é o domínio, a certeza de que tudo é conhecido. O fato de ser conhecido faz com que tenhamos controle sobre o perigo e, na maioria dos casos, saibamos como reagir e quais são as consequências das nossas atitudes. Criamos barreiras e condutas que acabam nos levando a um ritmo padrão. Como consequência, embarcamos em uma rotina de falsa sensação de segurança, porém quase sempre acaba desencadeando tédio e insatisfação.

A minha experiência de gestor mostra que quando você dá uma nova tarefa a um colaborador – ou a uma equipe – na quase totalidade dos casos eles vão desenvolver um método para cumprir aquela missão. Se a técnica der resultado, será transformada numa receita. Sim, numa receita de bolo, como essas que passam de avós para filhas, de filhas para netas. Vão repetir o passo a passo indefinidamente. Não há nada pior que comportamentos como esse. Por isso, posso concluir: zona de conforto é uma receita de bolo!

A zona do esforço, por outro lado, oferece riscos calculados e assumidos. Exige autoconfiança, desenvolvimento e muita ação para ir além do previsível, rompendo a morosidade para conquistar os objetivos. Trata-se de uma zona de desconforto em busca de um reconhecimento, um prêmio. Traz incômodos e, muitas vezes, dores, com a compensação de que o prazer gerado pela recompensa será maior.

As pessoas que gostam de viver na zona de conforto são avessas a mudanças, ao novo, e acabam limitadas à mesmice, perdendo muitas oportunidades seja na vida pessoal, seja no ambiente corporativo. Adoram levar a vida sem surpresas. Só permanece nesse limbo quem quer. Situações desafiadoras cruzam o nosso caminho todos os dias, todas as horas. Basta ficar atento para não desviar do que incomoda, o que acontece com certa frequência. "Sair da zona de conforto é dar a si mesmo a oportunidade de crescer, aprender e expandir seu repertório profissional", afirma Andy Molinsky, professor de Gestão Internacional e Comportamento Organizacional na Brandees International Business School.

O conceito não é novo. Em 1908, os psicólogos Robert M. Yerkes e John D. Dodson definiram a zona de conforto "como um estado de conforto relativo em que se mantém um nível constante de desempenho. Para mudar de patamar, precisamos de um estado de relativa ansiedade – um espaço onde nossos níveis de estresse permanecem ligeiramente acima do normal". Esse estado difere de pessoa para pessoa, mas uma coisa é certa: só chegará aonde sonha aquele que comprar uma passagem para longe da zona de conforto. Eu sempre faço questão de reservar a minha!

## O EXEMPLO FAZ A DIFERENÇA

Quantas vezes você já não ouviu que sucesso é 1% inspiração e 99% transpiração? Muitas, com certeza. Eu defendo a tese de que o trabalho duro supera o talento e que a habilidade necessária para qualquer profissional que deseje se destacar é uma disposição ao trabalho maior que a dos demais, de fazer o que os outros não querem. Trata-se do tipo de predisposição que mantém as pessoas constantemente fora da sua zona de conforto. Odino Marcondes, sociólogo e consultor de liderança, afirma que a maioria das empresas não tem uma visão inspiradora nesse aspecto, o que resulta em ambientes burocráticos nos quais os profissionais fazem o mínimo e se sentem satisfeitos. Para mudar esse cenário em que as pessoas não se sentem parte de algo maior, ele adverte: é preciso que a empresa crie o compromisso de sair ela própria da sua zona de conforto.

Na Bibi, estamos o tempo inteiro trabalhando nessa direção, levando as lideranças a pensar e a repensar diariamente o seu comportamento e de que forma podem levar a equipe a um maior engajamento, a uma interação mais criativa, que gerem bons resultados tanto para a companhia quanto para os colaboradores. Insisto, por experiência própria, que não é fácil, exige 99% de transpiração e muita disposição para não acreditar que se os resultados estão aparecendo é porque tudo está no lugar certo.

Várias vezes me perguntam: como fazer que os colaboradores aprendam

> Seguir por esse caminho dá trabalho, muitas vezes tira o sono, aumenta as chances de erro, mas, quando dá certo, a sensação é impagável.

diariamente coisas novas para gerar mais valor para os seus clientes e, como consequência, para a própria companhia? Não existe uma receita única, o que os especialistas apontam são alguns caminhos e atitudes que somados geram bons resultados. Uma pesquisa feita pela Universidade de Yale, nos Estados Unidos, sinaliza que o melhor caminho é tirar os colaboradores da zona de conforto. De acordo com o estudo, quando nos deparamos com uma situação fora do normal, em que não sabemos ao certo o que fazer, isso ativa naturalmente a região do aprendizado do cérebro, estimulando a mente humana a aprender. O inverso também ocorre. Quando achamos que está tudo bem, que os resultados são bons, a concorrência não nos incomoda, o lucro cresce e, por conta disso, não há estresse em nosso ambiente, o cérebro "desliga" a região do aprendizado. Ele percebe que não é necessário aprender algo novo naquele momento. Resultado: a liderança, a equipe e a empresa mergulham na zona de conforto e correm o risco de deixar passar as boas oportunidades, de crescer, de fazer a diferença.

Para reverter esse cenário, é preciso estimular os colaboradores todos os dias a ter uma visão crítica sobre o próprio trabalho. Se eles forem estimulados da maneira correta, saberão exatamente onde estão as falhas e qual o caminho para eliminá-las. À medida que os resultados vão sendo alcançados, novas metas devem ser propostas para que não se gere acomodação e a companhia se torne cada vez mais competitiva.

Pelo viés do empreendedor, um livro me chamou a atenção, *Vai lá e faz*, escrito por Tiago Mattos. Gaúcho de Porto Alegre, ele é empresário e considerado um dos principais futuristas do Brasil. Em 2017, entrou para o time de professores da Singularity University. Ele observa que a era digital trouxe uma nova relação com o trabalho e, por conta disso, de maneira direta ou indireta, em um futuro próximo, todos seremos empreendedores. O modelo de trabalho se transformará, "todos seremos freelancers, autônomos, profissionais liberais. As pessoas poderão exercer atividades diferentes ao longo da vida, dependendo apenas do interesse e da lei de mercado, será o fim das profissões em seu conceito puro". De certa forma, já estamos assistindo a essas mudanças.

Segundo Mattos, estamos próximo do fim das empresas estáticas. No lugar delas, deverão surgir grupos de trabalhos fluidos, com lideranças circunstanciais e rotativas. E ele vai além: não haverá mais cargos permanentes e as funções serão momentâneas; todos os envolvidos serão sócios; será o fim das jornadas de trabalho sem flexibilidade; o sistema será dinâmico, com mais oportunidades;

e o senso de concorrência deverá mudar. Em resumo, cada um poderá trabalhar no que lhe faz feliz.

Além disso, a abundância de informações permite que tenhamos *insights* o tempo todo, com potencial de transformação em novas ideias de negócios num piscar de olhos. O desafio está justamente aí, porque esse movimento nos faz sair da zona de conforto.

A monja Cohen, um dos nomes mais conhecidos da filosofia budista no Brasil, costuma enfatizar em suas palestras que "a gente não aprende com o erro, a gente aprende corrigindo o erro". Comungo dessa teoria. Os empreendedores que operam na zona do esforço com maior frequência sabem que a perfeição é utópica. O problema não é errar, é não aprender com o erro, para corrigi-lo o mais rápido possível.

Nos meus mais de quarenta anos como gestor de equipes, deparei-me com os mais diversos perfis de colaboradores. Os burocratas, os procrastinadores, os discretos, os conformados. Procurei instigar cada um de maneira diferente, tirá-los da zona de conforto, despertar qualidades adormecidas e ajudá-los na busca de melhores resultados. É esse o papel do líder. Com alguns, obtive sucesso, com outros, não. Escolher a equipe na qual se quer jogar é uma atitude pessoal. Todavia, não abri mão de escalar o meu time, tampouco de determinar a estratégia a ser adotada e comandar o grupo dentro de campo, como devem fazer os treinadores e os capitães. Ambos lideram. Na empresa, não é diferente: líderes, assim como treinadores e capitães, não podem fugir à responsabilidade de extrair o melhor do time. E na empresa, ou em campo, isso significa fazer cada um dar o máximo de si. É assim que se vence.

## QUEM É QUEM NA ZONA DE CONFORTO

Esse é o lugar preferido da maioria das pessoas, seja na vida pessoal, seja na profissional. Adeptos da filosofia do "eu já sei tudo" se acomodam e deixam passar boa parte das oportunidades que a vida oferece. Entre as características mais marcantes desse grupo estão: procrastinação, senso comum, insegurança, baixo apetite para o risco, medo e alto grau de reclamação. Alguns perfis:

- **BUROCRATA:** trabalha para pagar as contas, é desanimado, não faz nada além do necessário, cumpre à risca o que é pedido.

- **PROCRASTINADOR:** vive adiando as coisas apenas para evitar a necessidade de fazê-las, evita erros por medo de ser criticado, coloca tanto foco em cada fase do projeto que acaba consumindo todo o tempo de execução de um trabalho sem produzir resultados, ou, então, só produz sob pressão.

- **INSEGURO:** a insegurança é um estado emocional causado pelo sentimento de inferioridade, então acredita que não é bom o suficiente para realizar determinada tarefa ou para ser aceito e reconhecido pelos outros, tem medo de arriscar e, por conta disso, perde diversas oportunidades.

- **DISCRETO:** é adepto do senso comum, guia-se pelo modo de pensar da maioria das pessoas, não esboça opinião, não quer nem faz questão de não se destacar na multidão.

- **SOBREVIVENTE:** dispende o mínimo de energia para sobreviver, faz apenas o necessário para manter o emprego, o negócio, a vida.

- **IMITADOR:** segue o procedimento padrão, não expõe as suas vontades, apenas segue a maioria, sem qualquer questionamento.

- **CONFORMADO:** não se esforça para sair da zona de conforto, não busca crescimento, é pouco otimista, contenta-se com uma vida morna e monótona.

- **RECLAMÃO:** dorme e acorda reclamando da vida, do trabalho, do mundo. Encontra mil motivos para fazer o que é necessário e ainda influenciar quem está ao seu lado, gerando um péssimo clima.

- **MEDROSO:** tem aversão ao risco, pavor do fracasso e, por conta disso, deixa passar as oportunidades.

## QUEM É QUEM NA ZONA DE ESFORÇO

Especialistas afirmam que apenas 3% da população têm essa mentalidade e acreditam que sempre têm muito que aprender.

Entre as características mais comuns a esse seleto grupo estão a busca constante pelo sonho, pelo apetite, pelo risco, pela resiliência, pela valorização de novas oportunidades e pela flexibilidade. Quem sabe você não se identifica com alguns destes perfis:

- **SONHADOR:** persegue os seus sonhos, está sempre à frente do seu tempo, é persistente, o que garante boa dose de sucesso à realização dos seus sonhos.
- **MISSIONÁRIO:** para ele, o trabalho é uma missão, e não uma obrigação; ele é apaixonado pelas tarefas que desempenha, acredita que contribui para um mundo melhor, para uma sociedade mais justa e humanizada.
- **AVENTUREIRO:** vive as aventuras sem limites, se interessa por negócios inovadores, de alto impacto e diferente de tudo o que existe. Precisa da adrenalina da incerteza para ir adiante, adora ser desafiado, possui grande capacidade de se adaptar e improvisar. Fracassa muito, mas não liga, porque quando ganha é sempre muito.
- **CULTUADOR DA FELICIDADE:** toma a felicidade como guia, reconhece as próprias fragilidades e qualidades e, por isso, se sente confortável para não deixar a razão conduzir tudo. Tem convicção de quem é e não se importa se alguém acha que a sua ideia é ruim ou que é incapaz de realizar algo.
- **INOVADOR:** explora coisas novas, tem intenções e propósitos claros, é inquieto, curioso e sente vontade de mudar, tem visão sistêmica e pensa grande.
- **RESILIENTES:** lida com os problemas, supera obstáculos, adapta-se às mudanças e resiste às pressões do dia a dia. Super-herói? Não, apenas desenvolve bem as habilidades de ultrapassar adversidades e superar dificuldades.
- **CONCENTRADO:** nunca está satisfeito, quer sempre fazer mais, não se acomoda, está sempre procurando sair da zona de conforto.
- **ENTUSIASMADO:** acredita nas possibilidades que o mundo oferece, nas chances de solucionar os problemas, no seu

potencial de desenvolvimento; é um entusiasta de suas ideias e seus projetos.

- **CAMALEÃO:** abraça as mudanças, tem habilidade de se adaptar rapidamente a um ambiente em constante transformação, é mais flexível. Como é aberto ao novo, é capaz de aproveitar as oportunidades que surgem em vez de brigar com elas.

# Parte II
INOVAÇÃO

# Capítulo 1
## INOVAR É INVENTAR O PRÓPRIO FUTURO

Uma pequena construção, mesclando a rusticidade da madeira e a leveza do vidro, à beira do lago, chama a atenção dos visitantes da fábrica da Calçados Bibi, na Serra Gaúcha. O que pouca gente sabe é que é exatamente ali, longe da linha de produção e distante das telas dos computadores, que nasce boa parte das inovações da marca. O Ninho da Inovação, como batizamos simbolicamente o espaço, foi criado em 2016 para que funcionários, parceiros, varejistas, fornecedores e franqueados pudessem apresentar as suas ideias. Sob a coordenação do Comitê de Inovação, estimulamos toda a equipe interna a pensar de forma diferente sobre o tema, a fim de transformar a Bibi, em um futuro próximo, na empresa mais inovadora do mundo em calçados infantis. Numa marca global de desejo, com proposta de valor.

A média de ideias apresentadas gira em torno de trezentas por ano, nas áreas de produtos, lojas, processos e fabricação de calçados. Um número incrível! Afinal, se não contarmos os fins de semana, é mais de uma ideia para cada dia útil do ano. Para que seja considerada inovação, contudo, é essencial que a proposta esteja alinhada com o negócio, seja efetivamente uma novidade possível de ser executada e dê resultados. As sementes já começaram a gerar frutos. O tênis Patch Mania nasceu no Ninho. O calçado conta com um velcro na parte superior, que pode ser customizado com diferentes apliques. Outra proposta, que também nasceu sob o guarda-chuva do Comitê de Inovação, é o Display Bibi. Foram dois anos de desenvolvimento que resultaram em um tênis que vem com um display de LED na parte superior do cabedal, que permite a programação de frases, palavras e desenhos diferentes em cada pé. Com a ajuda de um botão na lateral, na parte interna do calçado, a criança pode mudar o movimento das letras em quatro sentidos diferentes.

Outra inovação que nasceu do nosso hábito de acreditar nas ideias dos nossos colaboradores foi o 2Way – um calçado dois em um que a criança pode usar dentro e fora de casa. As crianças têm um comportamento bastante similar ao dos adultos, que muitas vezes optam por, ao entrar em casa, tirar o sapato e ficar apenas de meia ou de pés descalços. Para ficar em casa, a criança pode usar somente a Lycra que tem antiderrapante na parte de baixo. Quando for sair, basta encaixar o solado e prender com a tira de velcro. Nossa equipe levou onze meses estudando, pesquisando, fazendo testes, explorando o conceito do produto que une praticidade, usabilidade e design. Se fôssemos perguntar para qualquer consumidor, eu tenho certeza de que jamais passaria pela cabeça dele usar um produto assim. Nós apostamos na inovação e os resultados confirmaram que estávamos certos.

A inovação para a Bibi, além de fazer parte da cultura organizacional, constitui-se em requisito para a nossa sobrevivência. Por isso, além do Ninho da Inovação, a Bibi conta com o auxílio de centros de pesquisa e inovação instalados em várias regiões do Brasil e no exterior, que auxiliam a empresa a antecipar os desejos do consumidor.

Fomos aprendendo aos poucos. No início, o processo de inovação estava centralizado na área de Pesquisa e Desenvolvimento (P&D), que sempre foi muito bem estruturada. Em 2005, decidimos dar um passo à frente ao criar o Comitê de Inovação, composto de três gerentes (industrial, P&D e suprimentos), representantes da área de marketing e um estilista, com a função principal de realizar a gestão da inovação na Bibi. Nesse mesmo ano, alguns colaboradores participaram de um curso sobre inovação na Unisinos e voltaram com a ideia de instalar na empresa os "fóruns de inovação" – grupos focados na discussão do tema, envolvendo vários setores da indústria. Até então não havia um método definido para a busca de inovação. Os fóruns utilizam a técnica de *brainstorming* para a geração de ideias: as cinco mais votadas seguem para a etapa seguinte, na qual os times são encarregados de colocá-las em prática. Não foram poucas as vezes que a solução para transformar ideia em produto exigiu a ajuda de parceiros externos, alguns deles situados na Ásia.

A semente do modelo do Ninho de Inovação também surgiu nessa época. Nós estávamos discutindo com a área de suprimentos como fazer para melhorar o aproveitamento de matérias-primas na área de projetos. Fizemos a montagem de um showroom para a apresentação de matérias-primas para os estilistas. Um dos integrantes da área de suprimentos comentou que era um desperdício de trabalho, tempo e dinheiro investir em um showroom e mobilizar apenas os estilistas, pois em 2006 tínhamos na Bibi seiscentas pessoas – e agora passou para mais de 1200 – que poderiam contribuir com ideias para um melhor aproveitamento dos materiais. A afirmação soou como uma bomba. O colaborador estava coberto de razão. Levamos a proposta ao Comitê de Inovação que a abraçou de bate-pronto. Mais que isso, aproveitou a deixa para transformar os grupos de melhoramentos contínuos, que estavam desmotivados, em times de inovação.

Para chamar a atenção, colocamos na entrada da fábrica um banner com os seguintes dizeres: "Aguarde, a Bibi está criando um ambiente favorável às boas ideias. Faltam dez dias para você descobrir o ambiente que estamos criando para você". Diariamente, distribuíamos panfletos na hora do almoço que diziam "Tenha uma boa refeição e uma boa ideia", "Tenha um bom dia e uma boa ideia" ou, ainda, "Basta ter um pouquinho de concentração e você terá uma boa ideia". Montamos um showroom em um final de semana e, na segunda-feira, fez-se a inauguração. Convocamos todos os funcionários e explicamos de uma maneira simples e direta o que era o processo de inovação, o que a Bibi buscava com isso e de que forma eles poderiam contribuir. A aceitação foi grande. No primeiro ano, foram apresentadas cerca de 150 ideias, e 30% foram aproveitadas com ganhos financeiros para a empresa.

Desde aquela época, todas as ideias que são aprovadas e não adotadas de imediato seguem para o Banco de Ideias. Em 2019, somavam mais de duzentas, algumas muito boas, porém muito à frente do seu tempo, carecem de novas tecnologias para serem implementadas. Quem sabe no futuro saem do papel e viram produtos de linha. Nós viramos o jogo com a inovação, somos capazes de planejar lançamentos que só entrarão em produção um ou dois anos depois, o que é raro no universo calçadista. O time caminhou junto, formamos pessoas alinhadas com a cultura que estávamos moldando a várias mãos para a Bibi. Formamos um time de guerreiros, colaboradores totalmente alinhados com a estratégia da companhia. É um time que trabalha em prol do sucesso de todos. Esse é um dos principais diferenciais da Bibi.

Inovar não significa apenas apresentar algo inusitado, mas, principalmente, resolver os problemas da humanidade, além de acompanhar as novas demandas do consumidor. É esse o pensamento que dividimos na Bibi e é esse o conceito que muitos especialistas têm disseminado pelo mundo. Costumo dizer que inovação é ver o que todo mundo vê e pensar o que ninguém pensou. Trata-se de uma questão muito forte. Além dos encontros no Ninho da Inovação, procuramos incentivar esse conceito no dia a dia, em todas as áreas da companhia, seja na fábrica do

Rio Grande do Sul, seja na unidade da Bahia. Os colaboradores colocam suas ideias na Caixa de Inovação, escrevem sobre alguma oportunidade de melhoria, sobre um novo produto que imaginaram ou sobre algo que acreditam ser importante e possa impactar na produção. Quinzenalmente, o Comitê de Inovação avalia as ideias apresentadas pelos colaboradores e pela rede de franqueados. Aquelas que o grupo considera que devam ter continuidade são separadas e discutidas no Ninho. Esse processo faz parte do nosso trabalho de endomarketing, é muito importante.

Sempre enfatizo para as nossas lideranças que a inovação tem de ser cultivada, tem de fazer parte da cultura da empresa, para não virar palavra solta ao vento, ficar apenas no papel. Eu concordo com a afirmação do economista francês Marc Giget, considerado um dos maiores especialistas do mundo em inovação, de que "o progresso de nada vale se não for compartilhado por todos". Fundador do Instituto Europeu de Estratégias Criativas e Inovação, ele defende que a inovação precisa resgatar seu objetivo original de proporcionar impacto social positivo e compartilhado por todos. Inovar por inovar, ou porque está na moda, não leva a lugar algum. É um desperdício de tempo e de dinheiro.

O italiano Roberto Verganti, professor de liderança e inovação da Universidade Politecnico di Milano e autor do livro *Overcrowde – Desenvolvendo produtos com significado em um mundo repleto de ideias*, diz que falta algo importante nas abordagens de inovação praticadas na última década. Segundo ele, as ideias estão disponíveis aos montes e ninguém precisa que surja mais uma, o que necessitamos é de novos significados. "Não temos de melhorar como as coisas são, e, sim, mudar a razão pela qual precisamos dessas coisas" é um de seus pensamentos mais disseminados pelo mundo corporativo. Nas entrelinhas, o que ele prega é que inovação não é sinônimo apenas de tecnologia e que existe um novo conceito, o qual ele batizou de "inovação de significado". Nessa linha, serão apontadas como empresas realmente inovadoras aquelas que fizerem produtos e serviços mais significativos para os consumidores, e não os melhores produtos do ponto de vista tecnológico.

Ele não está sozinho nessa corrente, pelo contrário. Lourenço Bustane, da Mandalah Consultoria, eleito uma das dez pessoas mais criativas do mundo dos negócios pela revista *Fast Company*, afirma que para terem sucesso nos tempos atuais as empresas precisam entender não só em que tipo de negócio estão, mas também os diversos impactos que a sua atividade causa e inovar exatamente nesse ponto. Na sua visão, só pode ser considerado inovador aquilo que melhora a vida das pessoas. É o que ele chama de inovação consciente. "Sempre que houver pessoas predispostas a mudar, poderá haver inovação consciente", declara em entrevista à revista *HSM Management* de maio de 2015.

Não há uma receita única de como as empresas devam ou não fazer para serem consideradas inovadoras. O importante é não sentir medo de errar; o medo não pode brecar a inovação. A única coisa certa é que sem inovação não haverá perenidade. Para quem deseja abraçar a causa não faltam, porém, ferramentas, conceitos, publicações, metodologias para orientar essa jornada. Os caminhos são variados, cada organização precisa construir a própria receita. Mas vale destacar que, sem atitude, nada sairá do papel. E o que isso significa? Que a disposição em adotar a inovação como pilar de competitividade e diferenciação tem de partir da direção.

Há algum tempo, li os resultados da pesquisa CEOs Inventores, publicada no *Journal of Financial Economics*, que diziam que empresas lideradas por CEOs que já tiveram experiências pessoais com inovação e são responsáveis pela invenção de algum produto ou serviço apresentam melhores resultados; têm patentes com maior valor comercial e impacto superior em seus ramos de atuação. O estudo envolveu 935 CEOs das empresas de tecnologia de capital aberto, listadas na bolsa dos Estados Unidos, entre eles, Bill Gates, fundador da Microsoft, e Steve Jobs, o criador da Apple. Com relação à tecnologia, o levantamento mostra que empresas com esse perfil de líderes são capazes de patentear e oferecer produtos e serviços de tecnologia com valor comercial superior e maior aceitação do mercado em comparação às empresas não lideradas por inventores. As inovações associadas a essas patentes também são de natureza radical, com produtos inéditos e de grande impacto.

Entre as vantagens apontadas pelo estudo em se ter líderes inovadores está o desenvolvimento da percepção de prioridade e facilidade em criar um ambiente criativo dentro das companhias. A experiência prévia do CEO com inovação também permite um impulso para a criação de tecnologias relevantes e de impacto

**Inovar não significa apenas apresentar algo inusitado, mas, principalmente, resolver os problemas da humanidade.**

positivo. Por outro lado, os CEOs distantes desses conceitos podem dar menos atenção à inovação e priorizar aspectos mais burocráticos do cargo, como retornos, controle interno, sistemas de monitoramento, entre outros aspectos.

## SOMOS INVENTORES OU INOVADORES?

César Souza, presidente e cofundador do Grupo Empreenda e autor de *Você é do tamanho dos seus sonhos*, entre outros livros, não passa uma palestra sem dizer que o Brasil é um país de criativos, mas precisa se transformar em um país de inovadores. É preciso aprender a transformar ideias criativas em valor. Ele tem razão. Inovar é diferente de inventar. Para inovar, é preciso ter metodologia. As inovações podem até nascer de uma ideia, de um *insight*, mas, para se tornarem algo consistente e aplicável, é necessário transformar conhecimento em resultado relevante. Para isso, é necessário ter métodos eficazes para identificar rapidamente os erros, aprender com eles e corrigi-los o mais rápido possível.

Inovação requer experimentação. Isso significa tentar muitas coisas novas, que podem inicialmente falhar, porém servirão de aprendizado. Uma das regras da inovação é aceitar o erro. Engana-se quem acredita que inovação é um evento único. O processo de descoberta, engenharia e transformação é longo, exige investimento intelectual e de capital, além de muita persistência. Em 2018, durante a convenção anual da Associação Brasileira de Franchising, que aconteceu na Bahia, o professor israelense David Passig, PHD em Estudos Futuros, falou muito sobre isso. Saí da palestra com uma série de interrogações e disposto a pensar se realmente eu estava fazendo a coisa certa dentro da Bibi.

Para Passig, a inovação é um processo de cauda longa. Entre ter a ideia e chegar ao pico da tecnologia aplicada, receber investimento e ganhar o mercado, leva-se entre dez e quinze anos. Apenas 3% das inovações propostas atingem o pico, e dessas, cerca de 30% vingam e podem gerar outras inovações a partir dos seus estudos. Quando chegam ao pico, permanecem em alta entre três e cinco anos. Nessa fase, começam a se tornar obsoletas em detrimento de novas tecnologias que surgem. A inovação permanece na esfera da academia e dos centros de pesquisa por mais de uma década até atingir o pico, para, então, chegar ao ambiente de negócio. É um caminho longo e difícil. Um bom exemplo são as lâmpadas incandescentes. Na sequência do seu lançamento, veio a lâmpada fluorescente, depois a halógena, até chegar à lâmpada de LED. Enquanto estava na fase de pesquisa e desenvolvimento, o LED tinha apenas como foco a iluminação.

Quando chegou ao pico, começou a ganhar outras aplicações em TVs, relógios inteligentes e celulares. Na visão do futurista israelense, os ecossistemas de inovação podem ser diferentes em vários lugares. Mas em todos devem ter em comum o fato de levar a inovação, o conhecimento da academia para o mercado. Em entrevista ao jornal *Valor Econômico*, ele afirmou:

> É essencial que tenha a cadeia completa, desde a pesquisa até o uso final do produto ou da tecnologia. Se um ou dois elos são perdidos, é possível encontrá-los em outro lugar, mas se muitos ou praticamente todos são perdidos, aí não há inovação. A academia não pode ditar o que o mercado deve fazer e vice-versa, ambos têm de trabalhar juntos. É a academia pensando no que o mercado demanda e o mercado, por sua vez, buscando na academia a solução para seus problemas. A academia é a base da criação, enquanto o mercado, as empresas, pagam pelo seu desenvolvimento. No âmbito nacional, na esfera governamental, alguém tem de pensar em cada fase da inovação desde o início, do ensino básico até a formação dos PHDs.

Embora o ecossistema de inovação brasileiro seja considerado o mais robusto da América Latina e do Caribe, recebendo quase 50% dos investimentos de capital estrangeiro aportados em negócios na região, ainda há muito o que ser conquistado. Há lacunas que desaceleram sua capacidade de gerar mais entregas, principalmente a longo prazo e de maneira mais abrangente, inclusiva e integrada. Boa parte das empresas brasileiras ainda estão aquém do resultado esperado. A maior parte dos programas de inovação gera apenas ganhos incrementais de eficiência, e não inovação de forma disruptiva.

De acordo com o Índice Global de Inovação (IGI) – relatório anual publicado pela Universidade de Cornell, Instituto Europeu de Administração de Empresas (Insead) e Organização Mundial de Propriedade Intelectual (OMPI) –, em 2019, o Brasil caiu duas posições no ranking dos países com mais empresas inovadoras, entre os 129 países listados pelo estudo. Está em 66º lugar. Em primeiro lugar está a Suíça, seguida pela Suécia e pelos Estados Unidos. Segundo o levantamento, o Brasil se destaca por ser um centro de tecnologia de peso internacional e por fazer parte dos cinquenta primeiros colocados em Pesquisa e Desenvolvimento (P&D). No que diz respeito à inovação, porém, é o quinto colocado entre as dezenove economias da América Latina e do Caribe.

O certo é que a inovação se tornou uma grande questão para as grandes empresas. Em uma época em que as startups disruptivas podem afetar modelos de negócios de companhias consolidadas e colocar em risco a lucratividade e a participação de mercado, ficar parado é uma péssima decisão. Mesmo quem já conta no portfólio com uma ideia premiada ou de rápida aplicação não pode se acomodar. Estudo feito pela consultoria norte-americana especializada em estratégia e inovação Luminary Labs adverte que 92% das empresas com esse perfil precisa continuar trabalhando duro em busca de outra ideia inovadora. Ainda segundo a consultoria, em 2012, apenas 10% das companhias premiadas por inovar de forma aberta tinham soluções prontas para investir no mercado, ou seja, as ideias já haviam sido testadas e podiam ser implementadas. Em 2018, essa fatia subiu para 50%, isto é, metade dos inovadores era capaz de aplicar o que criou.

Mas você deve estar se perguntando: o que as empresas inovadoras têm em comum? Muitas coisas, garante Jonathan Vehar – chamado de geek da inovação pela revista *Forbes* e de líder da inovação pela *Fast Company* –, entre elas:

Prestam atenção à criação de uma cultura que apoia e nutre novas ideias e o seu desenvolvimento no mercado.

Enxergam o capital humano como o recurso mais importante da organização e, por isso, tratam as pessoas muito bem, porque a inovação nasce da sua criatividade. Pelo menos até 2019, a inteligência artificial não era capaz de substituir a criatividade humana na produção de inovação.

Percebem que a inovação é muito mais que um novo produto, serviço ou aplicativo. As empresas que conseguem inovar buscam oportunidades em seus sistemas, seus modelos de negócio, seus canais de distribuição, no envolvimento com os clientes, na marca e muito mais. Não estão focadas em algo novo. Quase todos os líderes de mercado na atualidade, em todos os segmentos, não foram os primeiros a entrar na categoria.

Implementam procedimentos e processos que permitem que as pessoas e as equipes trabalhem em conjunto para impulsionar a inovação. É impossível inovar sozinho. Inovação é um esporte de equipe.

## INOVAÇÃO ABERTA GANHA ESPAÇO

Trabalhar com inovação aberta tem sido um dos caminhos encontrados pelas grandes organizações para acompanhar o ritmo das startups. O conceito de Inovação Aberta (*Open Innovation*, em inglês) surgiu com Henry Chesbrough, professor da Haas Business School, UC Berkeley, no livro *Inovação aberta: O novo imperativo para criar e lucrar com a tecnologia*. Ele define Inovação Aberta como "um paradigma que pressupõe que as organizações podem e devem usar ideias externas, ideias internas e caminhos internos e externos para o mercado, à medida que as empresas buscam o avanço de sua tecnologia". Na sua visão, vários são os benefícios alcançados pelas organizações ao adotarem essa prática:

- **RECEBER TALENTOS EXTERNOS.** Nem todos os gênios trabalham em nossas empresas. Assim, precisamos localizar e explorar o conhecimento e a experiência dos indivíduos brilhantes, que estão fora do raio, do setor da companhia ou, até mesmo, fora da sua área de atuação. Funciona como uma via de mão dupla: ao mesmo tempo em que a empresa recebe ideias e conteúdos externos, ela negocia e vende sua expertise. O pensamento é de crescimento compartilhado com todos.

- **AMPLIAR A VISÃO DE NEGÓCIOS.** Envolver diversas equipes no desenvolvimento de novos produtos e tecnologias trará sempre um grande valor agregado.

- **EVITAR VÍCIOS DA CULTURA ORGANIZACIONAL.** Ao acolher o conhecimento externo, todos os vícios que existem na estrutura corporativa tendem a diminuir. Cria-se uma cultura mais empreendedora, na qual as equipes se sentem confiantes para levar as suas ideias aos clientes, mesmo fora de sua área de especialização.

- **PODER UTILIZAR FERRAMENTAS QUE PROMOVEM A INOVAÇÃO.** Entre as mais importantes estão a cocriação e o *crowdsoursing* (colaboração coletiva). A cocriação é a inovação feita a partir da colaboração compartilhada de ideias, encurta o caminho para o desenvolvimento de soluções inovadoras que resolvem os desafios demandados pelos clientes. *Crowdsourding*, por sua vez, é uma ferramenta tecnológica integrada ao site e faz parte da plataforma de gerenciamento de inovação. Ajuda a coletar *insights*, ideias e comentários, além de gerenciar e analisar com eficiência os dados coletados, trabalhando de forma sistêmica com eles.

Trata-se de conceitos novos, que exigem um modo de pensar e agir no ambiente dos negócios muito diferente de um passado recente. No Brasil, ainda há certa resistência. Segundo a pesquisa *Os desafios da inovação aberta no Brasil,* feita pelo Coletivo Open Innovation, a lentidão na mudança no *mindset* dentro das grandes empresas ainda é um impeditivo para o avanço da inovação no país. Pelo menos, esse é o pensamento de 54% dos participantes do estudo, um grupo composto de empreendedores, consultores e representantes de empresas interessados no termo inovação. Em segundo lugar, eles apontaram a burocracia (28%) e a ausência de entrosamento entre os membros de uma equipe (25%). Ao divulgar a pesquisa, Flavio Ferrari, gerente do Copenhagen Institute for Future Studies e coordenador do Open Innovation em São Paulo, afirmou que a transformação cultural não acompanha o avanço acelerado da digitalização. "A questão crucial é a mudança de *mindset*. Falamos muito de transformação digital, mas a verdade é que a tecnologia já é uma commodity. O determinante é o que faremos com ela".

## OLHOS VOLTADOS PARA A CHINA

Fica difícil falar de inovação sem pensar na China. Em menos de quatro décadas, transformou-se de um país conhecido pela cópia, pela pirataria, para uma potência que começa a mudar o eixo da economia mundial para outra direção. A equipe da Bibi foi conferir essa mudança de perto em 2019 e voltou surpreendida. A China tem nos dado uma aula de inovação, de uso da tecnologia de forma eficiente.

Em 2014, o então presidente dos Estados Unidos Barack Obama destacou em um dos seus discursos que "a nação que apostar tudo na inovação hoje será a dona da economia mundial de amanhã". A China, que desde a década de 1980 estava disposta a mudar a sua realidade, parece que levou a sério o desafio. Com investimentos em educação e qualificação de profissionais, benefícios fiscais para atrair empresas de ponta e o incentivo à inovação, o país transformou a região de Shenzhen, ao sul, no seu próprio Vale do Silício.

Em 2019, Shenzhen era o grande destaque da *Greater Bay Area* – região formada por nove cidades chinesas (Shenzhen, Guangzhou, Zhuhai, Foshan, Dongguan, Zhongshan, Jiangmen, Huizhou, Zhaoqing) e duas regiões administrativas especiais (Hong Kong e Macau). O PIB conjunto dessa área soma 1,64 trilhão de dólares, quase o dobro dos 837 bilhões de dólares gerados pelos negócios localizados no Vale do Silício, conforme descrito na reportagem "Celeiro dos smartphones, vale do silício chinês desafia o berço da tecnologia nos Estados Unidos", publicada pelo jornal *O Globo*, em outubro do mesmo ano. Na reportagem, Simão David Silber, professor do departamento de Economia da Universidade de São Paulo, afirmava que:

*A China partiu muito atrás e foi direto para a ponta. Investiu em educação, foi copiando tecnologias do Ocidente, e todo o mundo foi benevolente, aceitou esse modelo. Mas ela se tornou importante demais, hoje é um concorrente de primeira linha que deixa a Europa e o Japão para trás e começa a disputar com os EUA a liderança do mundo no século XXI.*

Tudo foi planejado com a meticulosa característica da cultura oriental, porém na velocidade que a modernidade exige. Ano após ano, a região sul, mais especificamente Shenzhen, começou a atrair cada vez mais empresas, sobretudo fabricantes de hardware e de componentes. No início, eram grandes copiadoras de tecnologia do Ocidente, com produção em escala e baixo custo. De investimento em investimento, de qualificação em qualificação, e com foco centrado em inovação, o cenário foi mudando. A *Greater Bay Area* tornou-se o berço de gigantes da tecnologia, como a Tencent, dona do WeChat – aplicativo chinês que engloba várias funções como mensagens, pagamentos e rede social, com mais de 1,1 bilhão de usuários –, e a Huawei, maior fabricante de equipamentos de redes de telecomunicação do mundo. Segundo a Forbes, em 2018, cinco das dez companhias mais ricas do mundo eram chinesas. Não dá para não ficar de olho, certo?

Em um de seus conceitos mais conhecidos, Peter Drucker, considerado o pai da administração moderna, diz que a melhor maneira de prever o futuro é criá-lo. A inovação – eu acredito muito nisso – é uma das principais ferramentas para as empresas moldarem o próprio futuro. Independentemente do ramo de atuação ou do porte da companhia, sempre há espaço para inovar. Basta querer. A Bibi quer!

# Capítulo 2
## CRESCIMENTO EXPONENCIAL: SUA EMPRESA TAMBÉM PODE

**Q**uem já tem os cabelos grisalhos como eu deve se lembrar de quando sonhávamos em ter o primeiro carro. Podia até ser um usado, como um Fusca já com anos de estrada, mas nós dávamos a ele carinho, cuidados e desfilávamos com ele pelas ruas como se fosse um troféu. Há pouco mais de cinco anos, o comportamento é outro. A juventude prefere o direito ao uso, e não à posse. No lugar do carro exibido na garagem, meia dúzia de aplicativos baixados no smartphone garante o deslocamento com conforto e o preço que cabe no bolso. A realidade é outra. O mundo mudou, o consumidor mudou, mas nem todas as organizações se deram conta de que é preciso mudar. Mais que isso, é preciso redesenhar o jeito de pensar e fazer negócios a uma velocidade inconcebível há menos de uma década.

Minha ficha começou a cair com mais intensidade por volta de 2015 quando devorei o livro *Organizações exponenciais*, escrito por Salim Ismail, Michael Malone e Yuri Geest. A publicação havia sido lançada um ano antes nos Estados Unidos e colocava em discussão o conceito proposto por eles para definir aquelas companhias que desenvolvem soluções pelo menos dez vezes melhores, mais rápidas e de menor custo que as empresas estabelecidas no mercado. Como assim? Na minha longeva trajetória empresarial, aprendi a comemorar crescimentos reais acima de 20% como algo fora da curva, e eles pregavam algo muito superior a 100%.

O conceito de organização exponencial, ou ExO na sigla em inglês, surgiu pela primeira vez na Singularity University, instalada desde 2008 em uma base da Nasa, na Califórnia, com o objetivo de criar um novo tipo de universidade, cujo currículo fosse atualizado constantemente. Peter Diamandis, um dos fundadores da Singularity University e de mais quinze outras empresas, no prefácio do livro *Organizações exponenciais*, declara:

*Nosso foco sempre foi as tecnologias que cresciam exponencialmente (ou aceleradamente) e faziam valer a Lei de Moore.[10] Áreas como computação infinita, sensores, redes, inteligência artificial, robótica, manufatura digital, biologia, sintética, medicina digital e nanomateriais. Por definição e desejo, nossos alunos seriam os melhores empreendedores do mundo, bem como executivos de empresas da Fortune 500. Nossa missão: ajudá-los a exercer um impacto positivo na vida de um bilhão de pessoas.*

Foi o futurista Salim Ismail, que havia liderado a incubadora interna do Yahoo! e conduzido várias startups antes de chegar à Singularity, quem reuniu as diversas ideias e os estudos de caso e os consolidou na concepção de um novo tipo de empresa, que operaria com uma proporção de preço/desempenho dez vezes maior que o das companhias da década passada. Nascia, assim, o conceito de organizações exponenciais, que, em pouco tempo, serviria de norte para organizações de todo o mundo. Na visão de seus criadores, a época das organizações exponenciais é a melhor para se viver. Será?

Diamandis, ao palestrar no Rio de Janeiro, em agosto de 2018, durante o encontro Abundance 360, afirmou:

*Vivemos no período mais extraordinário da história humana. Vivemos em um tempo onde não há nada que não possa ser feito. A digitalização e a tecnologia nos colocam em uma área de abundância. Sobretudo, abundância de dados gerados por todas as coisas, inclusive carros, aviões. Tudo está gerando dados e as Organizações Exponenciais sabem usar esses dados e dominam os meios digitais, por isso são capazes de crescer em ritmo mais acelerado do que as companhias com métodos tradicionais.*

Nas páginas do best-seller *Organizações exponenciais* ou em palestras pelo mundo, Salim e seus parceiros fazem questão de enfatizar que a

---

[10] Lei de Moore – em abril de 1965, o então presidente da Intel, Gordon Earle Moore, profetizou que a quantidade de transistores de chips que poderiam ser colocados em uma mesma área dobraria a cada dezoito meses, mantendo-se o mesmo custo de fabricação. A profecia tornou-se realidade e ganhou o nome de Lei de Moore.

concorrência não é mais a empresa multinacional no exterior, mas o cara instalado em uma garagem no Vale do Silício ou em Mumbai, na Índia, que utiliza as mais recentes ferramentas on-line para projetar e imprimir a partir da nuvem a sua última criação. Essas empresas estão cada vez mais rápidas, contam com pessoas cada vez mais capazes de se reinventar numa velocidade ímpar e com um grau crítico altíssimo. Diamandis afirma que:

> O desafio das organizações daqui para a frente será aproveitar todo esse potencial criativo, ser tão ágil, hábil e inovadora como as pessoas que farão parte delas; competir no acelerado mundo novo; se organizar para expandir. O caminho para isso é a Organização Exponencial.

No passado, quanto maior era a força de trabalho de uma empresa, maior era a produção. Por isso, era tão difícil para os pequenos e médios negócios, principalmente os nascentes, concorrerem com as grandes corporações. Em 2019, ao contrário, quanto maior o número de funcionários subordinados a uma estrutura hierárquica mais rígida, mais difícil se torna para a empresa mudar a sua forma de atuação e os seus métodos de gestão de maneira rápida. A tecnologia não só alterou o comportamento do consumidor, como também permitiu agilizar, eliminar processos manuais e automatizar tarefas repetitivas dentro das empresas. Nesse cenário, a força de trabalho excessiva passa a ser uma barreira e provoca a redução da velocidade das operações. Em contrapartida, quando o negócio gira em torno da informação, o desenvolvimento da organização entra em crescimento exponencial. Isso significa que a relação preço/performance dobra, em média, a cada um ou dois anos, de acordo com os especialistas.

Diferenças entre as organizações exponenciais e as organizações tradicionais:

| ORGANIZAÇÕES EXPONENCIAIS | ORGANIZAÇÕES TRADICIONAIS |
| --- | --- |
| Livram-se da barreira de uma força de trabalho excessiva e, por isso, têm uma velocidade de operação e de crescimento muito mais rápida. | Adotam um número grande de colaboradores por área, mesmo quando implantam novas tecnologias. |
| Trabalham com um modelo de negócio escalável, ou seja, algo que pode ser reproduzido repetidamente em grande quantidade e com alto grau de produtividade. | Operam de maneira linear com uma quantidade limite de recursos. |
| Desde a sua criação, apresentam uma cultura de descentralização de poder, que valoriza a experimentação e a autonomia. | Mantêm estrutura empresarial baseada em hierarquia, centralização do poder e baixa tolerância ao risco. |
| Têm processos operacionais mais flexíveis. | Trabalham com processos operacionais mais rígidos. |
| Conseguem crescer sem ter um investimento gigantesco, pois geralmente se apoiam em ativos já existentes para entregar valor. Ex.: o Waze utiliza os *smartphones* dos seus usuários para entregar informações de trânsito. | Precisam de quantias significativas para promover mudanças de suas estruturas e inovar. |
| São guiadas por um Propósito Massivo Transformador (PMT), que inclui atributos ligados à criatividade, à escalabilidade e aos elementos de controle da empresa. | Seguem a lógica do mercado, com foco no lucro. |

Em visita ao Brasil, em 2017, Salim Ismail deixou claro que o pensamento disruptivo praticado pelas organizações exponenciais é ilimitado e não está restrito a segmentos que operam diretamente com tecnologia. Integram esse seleto grupo as empresas que enxergam o mercado sob o ponto de vista do consumidor e, por isso, praticam uma nova forma de fazer gestão. Ao utilizar a inovação a favor do desenvolvimento de soluções cada vez melhores e, principalmente, como um norte na hora de definir o modelo de negócio, elas comprovam que crescer acima da média é consequência.

Portanto, para ter um modelo mais exponencial, as empresas precisam se tornar obcecadas pelo consumidor. O processo de desenvolvimento de um novo produto ou serviço tem de se tornar mais rápido, simples e flexível para se adequar às demandas do público final. Isso implica eliminar ou adaptar processos e etapas. Quando o processo é mais enxuto, a exemplo do que acontece com as startups, fica mais fácil as empresas criarem modelos que possam ser complementados com o tempo. Um bom exemplo é a Netflix, que surgiu como um negócio linear quando oferecia o aluguel de filmes em DVD pelo correio. Com o passar do tempo, foi oferecendo novos canais de acesso, geração de receita e serviços, como grupo de assinatura e *streaming* pela internet e TV. A Netflix foi adaptando o seu modelo de negócio por meio de análise de dados do perfil de seus clientes e tendências para o futuro. Em 2019, era uma das grandes empresas da área de entretenimento, enquanto a grande rival do passado, a Blockbuster, faliu.

Para que esse movimento aconteça, entretanto, é preciso haver transição do modelo linear de pensamento e gestão para o modelo exponencial. O que isso significa? Quem explica é o próprio Salim:

> *Tanto a nossa educação formal quanto a nossa intuição nos moldaram para fazer associações lineares, mas os dados hoje são exponenciais. Em dez ou quinze anos de crescimento da internet nos tornaremos cada vez mais dominados pela informação. O primeiro passo é garantir que as pessoas passem a pensar de um modo diferente.*

Na sua concepção, é preciso detectar a tecnologia exponencial cedo e abraçar a mudança. A ideia não é que as empresas apenas construam uma plataforma, mas se tornem uma.

Uber e Lime, por exemplo, são negócios exponenciais que se tornarão cada vez mais frequentes. O elemento comum entre os dois é a plataforma digital. Ser um negócio de plataforma significa ter de um lado o consumidor e de outro o produtor, que, no caso do Uber, são os motoristas e, no do Lime, os coletores de patinetes. As empresas tradicionais também podem implementar o mesmo conceito. Quando se incorpora uma plataforma ao modelo de negócio, também fica mais fácil adicionar novos serviços. O Uber, por exemplo, complementou com o Uber Eats.

As informações aceleram tudo, mas só gerarão resultados se forem entendidas, filtradas e bem trabalhadas. Talvez esteja aí um dos grandes desafios das organizações para fazerem a transição para o novo modelo. "Embora seja necessário ser rápido, ágil e adaptável, as estruturas da maioria das organizações não estão prontas para isso", afirma Salim. Muitas companhias estão satisfeitas com aquilo que funciona e, por isso, deixam de inovar. Sabe aquele ditado popular que diz que: "em time que está ganhando não se mexe"? Pois é exatamente assim que pensam, ignorando que a sobrevivência de uma empresa depende da sua capacidade de se manter à frente da curva da tecnologia e abraçar as mudanças, a fim de se manter competitiva perante a concorrência. Salim, em entrevista à revista *Stefanini Trends* (2018, p. 42-45), destacou:

> *Nenhuma empresa poderá acompanhar o ritmo de crescimento definido pelas organizações exponenciais se não estiver disposta a realizar algo radicalmente novo – uma nova visão que seja tão tecnologicamente inteligente, adaptável e abrangente quanto o novo mundo no qual irá operar – e, no final de tudo, ajudar a transformar.*

Isso não significa, porém, que as companhias precisem abrir mão do que está funcionando ou sair realizando mudanças desesperadamente. Pelo contrário, na média, 75% das transformações implantadas de forma radical fracassam, como reforça o próprio Salim. Processos e projetos bem-sucedidos devem ser mantidos intactos. Para se manter vivo, na vanguarda, não é preciso romper com o passado, mas, sim, interagir o tempo todo, considerar novas ideias, incorporar processos, reduzir atritos em todas as áreas e incentivar as ideias e o direito de opinião de todos.

Um caminho, na visão dos criadores do conceito de organizações exponenciais, é criar equipes que operem como startups. Na prática, como isso pode ser feito? Há um ditado que afirma: o primeiro passo para solucionar um problema é reconhecer que ele existe. Assim, a sugestão é colocar equipes menores para trabalhar a solução de um problema, encorajando-as a inovar a partir das margens. O grupo é retirado do *status quo* da operação e encorajado a analisar o problema de forma independente, separado dos sistemas e dos

**A ideia não é que as empresas apenas construam uma plataforma, mas se tornem uma.**

processos antigos, a fim de encontrar soluções que, em outros cenários, jamais seriam consideradas. Uma vez que essas equipes têm liberdade para pensar em uma construção diferente, suas chances de sucesso aumentam muito.

Uma das empresas que mais colocou em prática esse exercício com alto grau de eficiência foi a Apple. A grande inovação proposta pela empresa criada por Steve Jobs[11] é organizacional. O que eles fazem é formar uma equipe que seja bem disruptiva e que vai trabalhar em segredo com a missão de implantar disrupção em outros setores que não no centro do próprio negócio. Ela fez isso com a música, os celulares, os tablets, depois com o varejo, os relógios, os meios de pagamento, a saúde. Literalmente, não existe limite para o seu alcance de mercado. Eles podem continuar derrubando setor após setor agindo dessa forma.

À revista *Stefanini Trends* (2018, p. 42-45), Salim declarou que no Brasil, além dos problemas enfrentados naturalmente pelas organizações tradicionais em todo o mundo para mudar o jeito de pensar e fazer, as empresas se deparam com uma mentalidade arraigada de baixa autoestima e foco no mercado local. "No Brasil, se a sua startup falha, você é considerado um fracasso. No Vale do Silício, chamam isso de experiência". Vale pensar se dentro de casa não estamos agindo dessa forma e, portanto, atrasando a mudança de nossas organizações?

Outro ponto importante insistentemente comentado pelo futurista Salim em suas apresentações é que, além da tecnologia, há outros atributos que impulsionam essa transformação, entre eles o "bilhão de emergentes". São três bilhões de novas mentes que se juntarão à economia até 2026. Eles são importantes porque serão três bilhões de novos consumidores que representam dezenas de trilhões de dólares para a economia mundial. Constituirão uma nova classe de profissionais empreendedores que nasceram e conviveram com a geração mais recente de tecnologias. Esse ambiente está mudando completamente – e mudará ainda mais – o ritmo da inovação e suas consequências em organizações tradicionais.

Com esse novo cenário, estão surgindo grandes oportunidades em setores que ainda não sofreram mudanças significativas, mas que terão de passar pelo processo de adaptação à nova realidade, que já se mostra mais agressiva que qualquer previsão feita no início desta década.

---

[11] STEVEN PAUL JOBS (1955-2011) – empresário norte-americano, fundador da Apple. Criou o Macintosh, o iPod, o iPhone e o iPad. Com isso, revolucionou seis indústrias: computadores pessoais, filmes de animação, música, telefones, tablets e publicações digitais.

# O CONCEITO DOS 6DS

Para atingir o conceito pleno de organização exponencial, as empresas precisam entender os seis Ds propostos pelos especialistas: Digitalização, Decepção, Disrupção, Desmonetização, Desmaterialização e Democratização.

- **DIGITALIZAÇÃO:** uma tecnologia vira exponencial quando se torna digitalizada. Quando isso acontece, passa a se basear em informações e lança uma nova curva de crescimento exponencial. Um exemplo é a fotografia que passou de analógica (filme) para digital.

- **DECEPÇÃO:** nessa fase, a tecnologia está avançando, mas ainda não está sendo amplamente utilizada. Ao ser introduzida, leva algum tempo para que atinja velocidade. As pessoas tendem a descartar as novas tecnologias nessa fase. A impressão 3D passou um bom tempo nesse limbo.

- **DISRUPÇÃO:** ocorre quando um avanço tecnológico cria um novo mercado e rompe com um já existente. O que fez, por exemplo, o Airbnb com o setor hoteleiro.

- **DESMONETIZAÇÃO:** quando não precisamos mais de um aparelho para determinada ação. O Skype dispensou o uso do telefone, levando à desmonetização das ligações de longa distância.

- **DESMATERIALIZAÇÃO:** a tecnologia fica acessível por meio de um software. O *smartphone* é o melhor exemplo, pois com ele nas mãos temos acesso a vários serviços, que antes só eram possíveis mediante o uso de vários aparelhos. Podemos tirar fotos, gravar vídeos, gravar áudios, fazer pagamentos, acessar contas de bancos, entre outras coisas.

- **DEMOCRATIZAÇÃO:** quando as tecnologias se tornam cada vez mais baratas. Nos anos 1980, o celular era uma tecnologia de luxo, que só os mais ricos podiam ter. Aos poucos foi barateando, permitindo o acesso a um número cada vez maior de pessoas.

# Capítulo 3
## FICÇÃO CIENTÍFICA?
## NÃO, É A INDÚSTRIA 4.0

Philyra, a deusa dos perfumes dos gregos, era capaz de fazer combinações de essências que resultavam em fragrâncias únicas. A estória da deusa saltou da mitologia para o século XXI para dar nome a uma inovação tecnológica. O robô Philyra desenvolveu em 2019 o primeiro perfume do mundo feito com a ajuda da inteligência artificial, assinado pelo grupo O Boticário. Enquanto os brasileiros buscavam pela novidade nas prateleiras das mais de quatro mil lojas da rede espalhadas pelo Brasil, nos Estados Unidos os usuários do aplicativo de transporte Waymo circulavam em carros que andam sozinhos, sem motorista, como nos filmes de ficção. No interior de São Paulo, mais precisamente em Gavião Peixoto, a Embraer recebia uma plateia seleta que, perplexa, acompanhava cada detalhe do primeiro teste de uma aeronave autônoma no país. Um jatinho Legacy 500, objeto de desejo dos executivos, avaliado em 20 milhões de dólares, passeava pela pista de decolagem de forma independente, sem auxílio externo.

Você deve estar se perguntando o que esses avanços da tecnologia têm a ver com a rotina de um empresário que por quarenta anos esteve à frente de uma empresa de calçados no interior do Rio Grande do Sul? Pois saibam que têm. E muito. Companhias com propósito têm o olhar voltado para o futuro. A Bibi segue nessa linha, olha para o novo com o objetivo de adotar a tecnologia para melhorar processos, ganhar competitividade, surpreender o consumidor. Inovações como as apresentadas pelo grupo O Boticário, pela Waymo e pela Embraer, entre tantas outras mundo afora, só foram possíveis porque essas organizações avançaram em seus processos de transformação digital e saíram na frente no que os estudiosos passaram a chamar de a Quarta Revolução Industrial ou, simplesmente, de Indústria 4.0.

O conceito é novo, tem menos de uma década. A expressão "Indústria 4.0" foi ouvida pela primeira vez em 2011, quando o alemão Henning Kagermann, chefe da Academia de Ciências e Engenharia Alemã (Acatehc), utilizou-a para descrever uma proposta de iniciativa industrial patrocinada pelo governo do seu país. O projeto tinha o objetivo de promover a informatização da manufatura, em razão do aumento expressivo na demanda por produtos personalizados.

Inicialmente, o conceito de Indústria 4.0 era utilizado para englobar algumas tecnologias para automação e troca de dados no ambiente industrial. Ao longo dos anos, porém, foi ampliando a sua abrangência. Não é errado dizer que a Quarta Revolução Industrial está sendo motivada por três grandes mudanças no mundo industrial produtivo: avanço exponencial da capacidade dos computadores, imensa qualidade de informações digitalizadas e novas estratégias de inovação.

Na prática, a Indústria 4.0 pode ser traduzida como a combinação de várias tecnologias, muitas ainda em desenvolvimento nas áreas de tecnologia da informação (TI) e engenharia, capazes de mudar o jeito como os produtos são pensados, testados, executados e distribuídos. Entre as principais estão:

- **ROBÔS AUTOMATIZADOS:** capazes de realizar múltiplas tarefas com precisão e agilidade muito superior ao trabalho humano. No início, eram exclusividade da linha de montagem no processo de automatização das indústrias. Na segunda década dos anos 2000, eram vistos em praticamente todos os setores, da agricultura ao mercado financeiro, passando pelo varejo no qual já respondem pelo atendimento presencial de clientes. Em um futuro próximo, serão capazes de interagir com outras máquinas e com humanos, tornando-se mais flexíveis e cooperativos. Os cabots – como estão sendo chamados os robôs menores que realizam tarefas manuais e trabalham de forma conjunta com as pessoas – são peças importantes para que a produção do futuro seja mais colaborativa, e não totalmente robótica.

- **MANUFATURA ADITIVA:** popularmente chamada de impressão 3D, consiste na modelagem camada por camada, sem o uso de moldes físicos. A tecnologia é bem-vinda principalmente para modelos complexos. Da impressora 3D, saem desde peças de arquitetura e design até joelhos artificiais e batentes das portas do Airbus 350. Segundo a consultoria empresarial norte-americana Wohlers Associates, o faturamento global do setor em 2021 será de cerca de 17 bilhões de euros, o equivalente a 76,16 bilhões de reais (em valores de outubro de 2019).

- **SIMULAÇÃO COMPUTACIONAL:** o nome técnico é simulação de processos produtivos, também conhecido como gêmeos digitais. Trata-se da "imitação" de uma operação, um objeto, uma máquina ou um processo produtivo do mundo real. Isso é feito por meio de simulações, que permitem a análise de várias hipóteses sem necessariamente implementá-las. É útil para produções que não podem ser interrompidas paras testes ou que a parada gere alto custo, como acontece nas indústrias siderúrgica e automotiva. Mas também funciona para planejamento de novas instalações em hotéis, hospitais, centros de logística e varejo em geral. Permite testes e otimização de processos ainda na fase de concepção, diminuindo os custos e o tempo de criação. Em 2018, foi apontada pela consultoria Gartner como uma entre as dez principais tendências tecnológicas a serem aplicadas em um futuro próximo.

- **FORMAÇÃO DE REDES NEURAIS:** refere-se aos sistemas de TI que integram uma cadeia de valor automatizada, por meio da digitalização de dados. A integração horizontal consiste na incorporação das etapas de desenvolvimento de produtos, produção, logística e distribuição. A integração vertical envolve o chão de fábrica (uso de sensores), o nível de controle (máquinas e sistemas), a produção (monitoramento, controle e supervisão), o operacional (planejamento, gestão de qualidade e eficiência dos equipamentos) e o planejamento corporativo (ligado ao ERP, gestão de pedidos, planejamento e gerenciamento dos processos administrativos).

- **INTERNET DAS COISAS (IoT):** conecta máquinas e objetos à internet por meio de sensores e dispositivos, possibilitando a centralização e a automação do controle e da produção. Os dados são colhidos e transmitidos em tempo real para a nuvem. Cada vez mais sensores, câmeras e sistemas estarão monitorando todo o processo produtivo industrial, avaliando e supervisionando o desempenho dos equipamentos. Os processos produtivos serão cada vez mais inteligentes, a intervenção humana cada vez menos necessária, o tempo médio de produção cairá ao mesmo tempo em que o nível de qualidade dos produtos subirá.

- *BIG DATA E ANALYTICS*: em uma definição simplificada, nada mais é que um grande volume de dados, que aumenta à medida que novos meios digitais aparecem para gerar novas informações a cada minuto. Estruturados ou não, os dados incentivam o cruzamento de informações para se obter diversos *insights* sobre o negócio, outras oportunidades de mercado e melhor conhecimento do comportamento do consumidor, além de ajudar na tomada de decisões mais assertivas.

- **COMPUTAÇÃO EM NUVEM:** permite que todos os dados coletados sejam armazenados em servidores na nuvem, garantindo escalabilidade e baixo custo. Proporciona grande mobilidade e facilidade de entrada, pois pode ser acessada de qualquer parte do mundo, a qualquer hora, por meio de uma infinidade de dispositivos conectados à internet.

- **SEGURANÇA CIBERNÉTICA:** é um conjunto de ações sobre pessoas, tecnologias e processos que ajuda a combater os ataques cibernéticos. Assim como a segurança digital (que cuida dos dados digitais), a segurança cibernética é um braço da segurança da informação. De acordo com o *Norton Cyber Security Insights Report 2017*, o Brasil foi o segundo país que mais perdeu financeiramente com ataques cibernéticos, atrás apenas da China. No mundo, empresas e pessoas em vinte países tiveram prejuízos somados de 172 bilhões de dólares em perdas para o cibercrime. Só no Brasil foram 22 bilhões de dólares.

- **REALIDADE AUMENTADA:** nada mais é que a integração do mundo real (físico) com o mundo virtual. A origem está na criação dos códigos de barras em duas dimensões (QR Code). Seu uso ajuda a mudar a experiência de consumo, a interação dos consumidores com as marcas e a forma como são treinados os colaboradores, possibilitando o aumento de eficiência e ajudando a prever diversos tipos de problemas na indústria. Os sistemas baseados nessa tecnologia executam uma variedade de serviços, como selecionar peças em um armazém e enviar instruções de reparação por meio de dispositivos móveis.

Inteligência artificial, realidade aumentada e robôs autônomos aumentam a produtividade na indústria, assim como também são ferramentas de desenvolvimento de soluções para usuários finais. Além do uso eficiente desses recursos na produção, eles permitem uma maior capacidade das empresas se adaptarem de forma rápida às mudanças de acordo com as necessidades dos seus clientes. Só com soluções como *Big Data*, computação em nuvem, integração e segurança de sistemas, é possível garantir o tratamento do montante dos dados que são gerados de forma segura e eficaz, permitindo a tomada de decisão baseada em informações corretas acerca dos usuários. A Bayer Biopharmaceutical, com sede na Itália, por exemplo, conseguiu reduzir 25% dos seus custos de manutenção e melhorar entre 30% e 40% a sua eficiência operacional com a absorção e a análise de dados. Pesquisas revelam que, embora o volume de informações seja gigantesco, a maioria das organizações utiliza menos de 1% dos dados gerados.

Ao integrar boa parte dessas ferramentas, as empresas começam a desenvolver suas criações em laboratórios de simulação, utilizando modelos de fabricação digital. Os produtos só ganham vida e podem ser tocados após os problemas de design e engenharia serem resolvidos. Foi o que fez a alemã Phoenix Contact, apontada pelo Fórum Econômico Mundial como uma das dez principais indústrias inteligentes do planeta. A empresa, que oferece produtos e soluções no setor de engenharia eletrotécnica e de automação, criou cópias digitais das especificações dos produtos levados por cada cliente. Com isso, conseguiu diminuir o tempo de produção para reparos ou substituições em 30%. Já a unidade de eletrificação, automação e digitalização da Siemens, instalada na China, conseguiu otimizar a sua linha de produção com uma simulação em 3D, realidade aumentada e outras técnicas para aperfeiçoar o design e as operações da fábrica. A produção aumentou cerca de 300% e o tempo de cada ciclo produtivo foi reduzido.

Parece ficção, mas é realidade. É possível simular um novo design de planta fabril, testá-lo para descobrir falhas e investir no maquinário físico somente quando houver 90% de certeza de que funcionará bem. Assim como os produtos, uma nova linha de montagem pode ser prototipada em softwares antes de ser implementada. Os avanços da tecnologia tornam mais fácil e barato trazer novidades para o mercado, porque é mais rápido e menos custoso testar novas ofertas sem um lançamento completo. Foi o que fizemos em junho de 2019, quando decidimos mudar o layout industrial da planta da Bahia. Aplicamos recursos de simulação computacional para encontrar o melhor modelo de operação das linhas. Os resultados foram surpreendentes: 7% de redução do quadro; 31% de aumento na capacidade da linha e 35% de redução da área física ocupada. O retorno dos investimentos nesse projeto deu-se em pouco mais de três meses.

E pensar que, quando assumi a presidência da Bibi, em 1986, para um novo calçado chegar às lojas demorava cerca de quatro meses entre a criação e a entrega. Em 2019, esse espaço de tempo caiu pela metade. A forma como produzimos nossos sapatos também mudou. Antes da transformação digital, as sete etapas exigiam o envolvimento de pelo menos 130 pessoas, que levavam vários dias para produzir um único par. A realidade mudou. A entrega acontece em até um dia. O ciclo de produção diminuiu para cinco dias, enquanto muitas empresas do setor ainda enfrentam ciclos de dez a vinte dias. Cerca de 83% da produção mundial de sapatos está na Ásia. Temos de ser rápidos, surpreender o mercado. Quanto mais rápido e inovador, maior as chances de ampliar o horizonte de atuação. O que torna a Bibi mais rápida é o sistema. A grande maioria das companhias do setor calçadista não trabalha em função do mercado, trabalha em função de processos ainda tradicionais.

## NADA DE REMAR CONTRA A MARÉ

Estar aberto ao novo, às mudanças, às tecnologias que chegam ao mercado e tiram as companhias da zona de conforto é um desafio. Contudo, não há como ignorar, sob pena de ser engolido pela concorrência, que não é mais local ou nacional, é global. Mesmo diante dessa realidade, ainda há lideranças que insistem em remar contra a maré. Outro dia me deparei com uma pesquisa da consultoria KPMG que me surpreendeu: 60% dos CEOs tomam decisões contra o que foi proposto pelas máquinas, numa clara resistência em aceitar os resultados gerados pela inteligência artificial. O estudo, intitulado *Inovação na indústria de tecnologia 2019*, mostrava que a falta de conhecimento sobre as inovações tecnológicas leva à resistência por parte dos colaboradores e até dos executivos na adoção do processo de transformação digital. "Por medo de perderem seus empregos, os próprios funcionários dificultam a coleta de dados para desenvolvimento de algoritmos do software de inteligência artificial", revelou Ricardo Santana, sócio da KPMG e responsável pelo grupo Lighthouse Brasil, em entrevista à *Época Negócios*, de 26 de julho de 2019. Há quem acredite que estejam brigando por algo que não vale tanto a pena. Ao ser questionado sobre esse movimento, Kevin Kelly, cofundador da revista *Wired*, autor do livro

Ao integrar boa parte dessas ferramentas, as empresas começam a desenvolver suas criações em laboratórios de simulação.

*Inevitável – As 12 forças tecnológicas que mudarão o nosso mundo* e consultor do filme de ficção científica *Minority Report*, de Steven Spielberg, respondeu: "Daqui a cem anos, veremos que esses empregos pelos quais lutamos para manter vivos representarão um verdadeiro desperdício do potencial humano".

O olhar ressabiado dos colaboradores, porém, tem fundamento. Um dos maiores impactos da Quarta Revolução Industrial está relacionado ao mercado de trabalho, à oferta da mão de obra disponível. Há um atraso na formação efetiva de pessoas na área de tecnologia digital. De acordo com o Instituto Korn Ferry, empresa de consultoria organizacional global, a falta de habilidades digitais está dificultando a transformação digital em mais da metade das organizações. Em 2019, o déficit girava em torno de 1,1 milhão de trabalhadores qualificados em todo o mundo. No ano de 2030, esse número poderá chegar a 4,3 milhões. Isto é, será quatro vezes maior.

Os profissionais precisam estar aptos para trabalhar lado a lado com a automação e a inteligência artificial. A formação de mão de obra qualificada é fundamental para o futuro da inovação. As mudanças já estão acontecendo e serão aceleradas nos próximos anos. Estima-se que aproximadamente 8% de todas as posições de trabalho em 2030 serão postos que não existiam antes. A automatização é certa e a substituição de pessoas por softwares será muito rápida, principalmente em países mais desenvolvidos como Japão, Reino Unido, Alemanha e Estados Unidos.

Assim como acontece comigo, CEOs e executivos de grandes corporações estão atentos às pesquisas, como a feita pelo Instituto Sapiens sobre o impacto da revolução digital no mercado de trabalho, que projeta mudanças radicais em apenas cinco anos. De acordo com o levantamento, cerca de 2,1 milhões de trabalhadores concentrados em cinco áreas básicas poderão ver seus empregos desaparecerem. Entre eles, funcionários de bancos e seguradoras; profissionais da área de contabilidade; secretárias de escritórios; agentes de manutenção; caixas de lojas e de supermercados. Outro alerta veio em 2017, quando a consultoria McKinsey anunciou que o uso da inteligência artificial ameaçava 50% dos empregos nos Estados Unidos e na Europa. Nos países emergentes, poderia colocar em risco 70% das posições de trabalho. Segundo o relatório *O futuro do emprego*, do Fórum Econômico Mundial, 75 milhões de empregos desaparecerão e 133 milhões de novas vagas serão criadas no mundo até 2022 por conta da tecnologia. Na manufatura, é esperado um declínio de vagas para o "chão de fábrica" – como montagem, inspeção de qualidade e técnicos de manutenção. A queda, porém, será compensada pela expansão de vagas nos campos de análise de dados, inteligência artificial, desenvolvimento e tecnologias de software e aplicativos.

Não se trata de exagero. O norte-americano John Pugliano prevê em seu livro *A chegada dos robôs: um guia de sobrevivência para os seres humanos*, que qualquer tarefa que seja rotineira ou previsível será feita por um algoritmo matemático dentro de cinco ou dez anos. Tamanha velocidade assusta, até porque a sociedade não vivenciou transformações tão intensas nem mesmo com a chegada da Revolução Industrial.

É preciso ficar atento! Estudos apontam que até 2025 cerca de 40% dos empreendimentos tradicionais podem deixar de existir por causa da incapacidade de se alinhar à era digital. Entretanto, a Indústria 4.0 é mais que a adoção de tecnologias avançadas. Engloba as formas pelas quais essas ferramentas são reunidas e como as organizações podem aproveitá-las para impulsionar as operações e o seu desenvolvimento. Torna a cadeia de valor mais ágil, permitindo que os fabricantes industriais atinjam seus clientes finais diretamente e adaptem seus modelos de negócio. Cada vez mais, diversos produtos serão oferecidos como serviço. O avanço do pensamento digital é vital para garantir a sobrevivência e a adaptação das empresas às estruturas do mercado, o que envolve novos meios de gerenciar produtos, projetos e pessoas.

O que era impraticável em um passado recente se integra à rotina e as empresas precisam estar prontas para colocar em prática. Fazer a Indústria 4.0 funcionar requer grandes mudanças nas práticas e estruturas organizacionais, como adoção de novas arquiteturas de tecnologia da informação e de gestão de dados, diferentes abordagens de *compliance*, estrutura organizacional e uma nova cultura orientada para o digital, a qual deve ter na análise de dados um recurso-chave.

Na era da Quarta Revolução Industrial, é preciso acompanhar toda a trajetória de um produto – da criação ao descarte –, além de partir para a personalização em massa como se criasse um produto único, sob medida para cada consumidor. A Indústria 4.0 permite às marcas produzir lotes unitários tão baratos quanto um produto feito em escala no século XX, mas totalmente adaptado às especificações do comprador. Os exemplos têm se multiplicado pelo mundo. A fabricante de eletrodomésticos Haier produz seus refrigeradores e suas máquinas de lavar na China sob demanda. Os clientes escolhem pelo *smartphone* os recursos que querem e as especificações são transmitidas para a linha de montagem. No primeiro semestre de 2019, a companhia chinesa foi ainda mais além. Criou o primeiro ecossistema e plataforma de *Internet of Clothing* (IoC) do mundo, com mais de 4.800 recursos de vestuário para integrar lavadoras, guarda-roupas inteligentes, espelhos de corpo inteiro e máquinas de passar roupas, a fim de oferecer aos clientes uma solução inteligente que inclui lavagem, cuidados com o tecido, armazenamento, combinações e compras.

A chinesa Haier integra o seleto time das nove fábricas do futuro eleito pelo Fórum Econômico Mundial de 2018. Cinco estão localizadas na Europa, três na China e uma nos Estados Unidos. Ao apresentar esses dados, Enno de Boer, chefe global de manufatura da McKinsey & Company e um dos coordenadores da pesquisa, afirmou:

> O desempenho dessas fábricas que estão um passo à frente das demais é de 20% a 50% melhor que as outras. Por isso, elas conseguem criar uma vantagem competitiva no mercado. Elas têm equipes mais ágeis e com o domínio de tecnologias como IoT e desenvolvimento de software conseguem inovar cada vez mais.

Nas discussões propostas pelo Fórum Econômico Mundial ficou claro que à medida que a Quarta Revolução Industrial vai avançando e sendo discutida no mundo, vários mitos vão surgindo. Talvez o maior deles seja o de que a tecnologia é cara demais. Como destaca Iron Cronin, um dos participantes do estudo, a vantagem da tecnologia 4.0 é que ela pode fazer muito, sem que seja necessário levar uma empresa à falência. Com uma combinação de dados coletados pela Internet das Coisas, uma empresa pode fazer análises e se tornar muito mais eficiente e ágil. Na prática, embora a organização dos dados exija um bom volume de trabalho e a competência de um cientista de dados – a função é uma das mais bem remuneradas do mercado –, o retorno vem da otimização de processos, da redução de energia despendida, da qualidade no trabalho final e da tomada de decisões mais assertivas. Os investimentos em tecnologia são compensados pelos ganhos de produção. A inovação traz resultados positivos nas duas pontas do negócio: reduz custos operacionais e aumenta a eficiência da indústria.

Desse modo, são interessantes as vantagens apontadas pelo Mckinsey Global Institute: estima-se que os pioneiros na adoção da inteligência artificial terão um aumento de fluxo de caixa de 122% até 2030. No mesmo período, as empresas que seguirem a tendência geral com atraso terão um crescimento de apenas 10%. Não é difícil imaginar qual o melhor caminho a seguir. As empresas brasileiras, aliás, precisam acelerar esse movimento. É certo que o Brasil tem avançado nesse caminho, mas se trata de um avanço tímido. É o que mostram as estimativas feitas pela Confederação Nacional da Indústria (CNI) em 2017. O trabalho revela que apenas 21,8% das empresas brasileiras contarão com a digitalização do processo produtivo até 2027. O percentual refere-se ao nível mais elevado de conexão da produção (Geração 4) com tecnologias de informação e comunicação integradas, fábricas conectadas e processos inteligentes, com capacidade de subsidiar gestores com informações de qualidade para a tomada de decisão. E mais: 7,8% das empresas brasileiras ainda estavam nas gerações tecnológicas 1 e 2. Ou seja, apresentavam produção pontual de TICs (Tecnologia da Informação e Comunicação) e automação flexível com o uso de TICs sem integração ou parcialmente integradas.

Esse cenário colocava o Brasil na 57ª posição em competitividade industrial, entre 63 nações avaliadas pelo *Relatório de Competitividade Industrial*, divulgado pela escola de negócios suíça IMD. Os Estados Unidos ocupavam o primeiro lugar, seguido por Singapura e Suécia. O levantamento destacou dez países europeus entre os vinte com melhores condições para produzir e aproveitar as tecnologias digitais e alavancar a sua competitividade. Entre os emergentes que compõem o bloco dos BRICS (Brasil, Rússia, Índia, China e África do Sul), a China é a mais bem posicionada (30ª posição), seguida pela Rússia (40ª), Índia (48ª), África do Sul (49ª) e Brasil. Entre os latino-americanos, o Chile é destaque, em 37º lugar.

Portanto, é preciso acelerar o passo, girar a chave e ter bem claro que a Indústria 4.0 veio para ficar. Como diz Klaus Schwab, fundador do Fórum Econômico Mundial, "ao contrário das revoluções industriais anteriores, essa vai evoluir em ritmo exponencial em vez de linear. Não está só mudando 'o que' e o 'como fazer' as coisas, mas, também, quem somos nós". Eu concordo com isso.

**O avanço do pensamento digital é vital para garantir a sobrevivência e a adaptação das empresas às estruturas do mercado.**

## A ADOÇÃO DA INDÚSTRIA 4.0 POR ÁREA

| SETOR | 2016 (em %) | 2021 (projetado em %) |
|---|---|---|
| Eletrônicos | 45 | 77 |
| Aeroespacial e defesa | 32 | 76 |
| Manufatura industrial | 35 | 76 |
| Químicos | 32 | 75 |
| Produtos florestais, papéis e embalagens | 38 | 72 |
| Transporte e logística | 28 | 71 |
| Engenharia e construção | 30 | 69 |
| Automóveis | 41 | 65 |
| Metais | 31 | 62 |

Fonte: Pesquisa *Building the Digital Enterprise*, da PwC, ano de publicação.

**O QUE SUA EMPRESA PODE CONQUISTAR COM A INDÚSTRIA 4.0**

- Redução de custos
- Economia de energia
- Aumento de segurança
- Redução de erros
- Fim do desperdício
- Transparência nos negócios
- Aumento da qualidade de vida
- Personalização em escala

**NA ONDA DAS REVOLUÇÕES**

Uma revolução industrial é caracterizada por mudanças disruptivas e radicais, motivadas pela incorporação de tecnologias, tendo desdobramentos nos âmbitos econômico, social e político

**1 PRIMEIRA REVOLUÇÃO INDUSTRIAL (1760-1840):** movida por tecnologias como máquinas a vapor e linhas férreas.

**2 SEGUNDA REVOLUÇÃO INDUSTRIAL (1870-1945):** teve como principais inovações a eletricidade, a linha de montagem e a difusão da produção em massa.

**3 TERCEIRA REVOLUÇÃO INDUSTRIAL (1950-2010):** rompeu com paradigmas por meio do desenvolvimento de semicondutores e tecnologias como *mainframes*, computadores pessoais e, mais tarde, com a massificação do uso da internet.

**4 QUARTA REVOLUÇÃO INDUSTRIAL (a partir de 2011):** resulta da combinação dos processos produtivos com os avanços na área de tecnologia, especialmente da Tecnologia da Informação. É motivada por três grandes mudanças: avanço exponencial da capacidade dos computadores, grande volume de informações digitalizadas e novas estratégias para inovação.

# Parte III

## O DESAFIO
## DO VAREJO

**J**á perdi a conta de quantas palestras e seminários sobre varejo eu assisti nos últimos cinco anos. Só posso dizer que foram muitos, com grandes nomes nacionais e internacionais, pesquisadores, futuristas e apaixonados pela arte de vender. Em todos eles, uma pergunta se tornava, aos poucos, cada vez mais comum: a loja física vai deixar de existir? Sempre achei a resposta óbvia: as lojas físicas não deixarão de existir por mais mudanças que o futuro nos traga. Contudo, uma coisa é certa: o modelo de loja tradicional, repleto de vendedores nem sempre bem preparados, com ruptura de estoques e filas no caixa está com os dias contados. E quem não se der conta disso, fechará as portas mais rápido do que possa imaginar.

Para Marcos Gouvêa de Souza, fundador da GS&MD e especialista em varejo, o "que veremos de transformação nos próximos cinco anos será maior do que aquilo que aconteceu no varejo brasileiro nos últimos cinquenta anos". É de tirar o sono de muita gente. Tamanha mudança passa não apenas pelo novo comportamento de consumo das novas gerações, mas também pelo uso da tecnologia em maior escala. Se prestarmos só um pouquinho de atenção em nossas visitas aos shopping centers por todo o Brasil, podemos constatar que isso já vem acontecendo.

Trata-se de um avanço rápido do *New Retail* (em português, Novo Varejo), cujo conceito foi proposto em 2016 por Jack Ma, líder do Alibaba, ecossistema de negócios que tem valor de mercado próximo de 455 bilhões de dólares. Na prática significa a integração do on-line com o físico somada a um amplo envolvimento logístico, tendo a tecnologia como elemento viabilizador de toda essa evolução.

Quando, há quatro anos, Jack Ma lançou esse conceito, ainda não dava para sentir o impacto que pouco tempo depois os Superapps[12] viriam a promover no setor como um todo. A China partiu na frente e por lá tudo ocorre numa velocidade voraz, bem diferente de alguns mercados mais maduros. A tecnologia está em todos os lugares. No fim de 2019, o pagamento digital, via celular ou *wearables*, estava presente em 80% das compras feitas pelos chineses. Quem já chegou à maturidade, como eu, nem poderia imaginar que um dia sairia de casa sem a carteira, sem dinheiro em espécie ou sem nenhum cartão, que aprendemos a chamar de dinheiro de plástico. Nesse início de século XXI, o banco está na palma da mão e o varejo precisa ficar atento a isso e segurar firme essa oportunidade.

---

[12] Superapps – aplicativos que disponibilizam em um só lugar uma variedade de serviços usados no cotidiano das pessoas (chat, entrega de comida, pagamentos, pedidos de transporte etc.). O conceito teve início com o WeChat chinês, que virou para a população chinesa o "app de tudo para a vida".

Embora a China esteja acelerando as mudanças, foi a norte-americana Amazon uma das primeiras a apresentar ao mundo uma loja 100% digital, sem a necessidade da interação humana. A novidade já chegou no Brasil, ainda que de maneira tímida. Quem mora em São Paulo ou no Espírito Santo pode vivenciar a experiência ao fazer compras na Zaitt. A unidade piloto foi aberta em 2018 em Vitória. Em março de 2019, foi a vez de São Paulo receber a primeira filial, com muita tecnologia embarcada. Para quem não é nativo digital como eu, num primeiro momento parece um pouco estranho. Aos amantes da tecnologia funciona como um verdadeiro parque de diversões. O processo é simples, conforme descreveu o jornal *Valor Econômico*:

> Após baixar o app da Zaitt, o cliente libera a entrada via reconhecimento facial ou QR Code. No interior do mercado, guia a sua própria jornada de compra. Os produtos selecionados são colocados em um carrinho virtual e o pagamento é feito na saída, numa leitura única com uso da tecnologia de RFID. Com a leitura finalizada, basta conferir a compra total numa tela e a porta é liberada. O valor da compra é debitado no cartão de crédito cadastrado no app.

A Bibi, assim como boa parte do varejo brasileiro, ainda não está nesse estágio. Porém, seus pontos de venda nem de longe lembram as primeiras lojas próprias abertas em 2007. Em pouco mais de uma década, adotamos muitas tecnologias a fim de garantir maior integração entre os canais de venda e uma experiência de compra prazerosa para os clientes. Temos a preocupação de implantar tecnologia em áreas onde realmente possa fazer a diferença, seja facilitando a vida das pessoas, seja melhorando processos e garantindo maior competitividade. O que serve para a indústria não necessariamente serve para o varejo. Também somos avessos à transformação digital do varejo como modismo. São inúmeras as tecnologias apresentadas nas grandes feiras mundiais. Algumas têm efeito pirotécnico, outras valem quanto se investe. Somos curiosos, estamos sempre atentos às novidades e às tendências, mas procuramos separar o joio do trigo com atenção.

É claro que precisamos estar atentos a cada detalhe. Desde 2013, acompanho de perto os estudos apresentados pela consultoria PwC sobre comportamento do consumidor não só no Brasil mas também no mundo. Há sete anos, quando foi apresentado o primeiro levantamento sobre o varejo brasileiro, 70% das pessoas entrevistadas compravam em lojas físicas mensalmente. Os anos foram passando e esse percentual caiu para 55% em 2017. Ainda segundo a PwC, 50% dos consumidores utilizam *smartphones* para fazer pagamentos em lojas físicas, seja para pagar encomendas feitas com antecedência pelos apps, seja para utilizar uma plataforma de pagamento *mobile* no caixa. A busca por operações ágeis e sem atritos, que garantam uma compensação instantânea, também leva 37% dos brasileiros consultados a dizer que pagariam uma taxa adicional pela entrega do produto adquirido no mesmo dia. Não precisa ser um especialista para afirmar que o consumidor quer o produto na mão, na mesma velocidade que ele tecla na compra pelo celular.

Em outubro de 2019, durante um dos maiores fóruns de tecnologia do país, o Futurecom, em São Paulo, a consultoria Euromonitor apresentou um estudo que prevê que as lojas físicas se transformarão em grandes centros de experimentação até 2040. Denominada *Commerce 2040: Revolutionary Tech Will Boost Consumer Engagement*, a pesquisa revela que as vendas on-line vão progredir nos próximos vinte anos em velocidade dez vezes maior que no varejo tradicional.

A Bibi nasceu como uma indústria de calçados que aos poucos foi colocando os pés no varejo com a abertura de lojas próprias, depois com a adoção do sistema de franquias para expansão. Nossa presença no e-commerce é mais recente, quando sentimos mais fortemente a necessidade de unificação dos canais, afinal não importa onde o consumidor está comprando, o que pesa é a sua relação com a marca. A loja virtual da Bibi começou a operar em 2016, quando fizemos uma série de testes para integrar os mundos on-line e offline.

Em 2019, demos um salto adiante. De olho nas oportunidades de *cross border* (comércio virtual entre países), começamos a descentralizar o estoque das lojas físicas e do e-commerce, integrando os franqueados ao e-commerce. Iniciamos os testes para a implantação dos caixas móveis, porque ninguém suporta mais perder tempo em fila para pagar; adotamos os coletores virtuais e a prateleira infinita. O que isso significa? Disponibilizar o estoque do e-commerce como um apoio na operação de lojas físicas. Com esse recurso, o consumidor consegue ter mais variedade de escolha de produtos, optando por retirar o calçado na loja ou receber em casa. Aumentamos as opções do estoque, o que contribuiu direta e indiretamente para melhorar os resultados das vendas da rede. Em 2019, o e-commerce já respondia por

4% do faturamento da Bibi, e num futuro próximo, acompanhando o próprio ritmo do mercado, deverá chegar a 10%. A prateleira infinita, no primeiro ano de operação, registrou cerca de 600% de crescimento e acima de 80% de engajamento da rede. A integração dos canais, com a proposta do Click e Retire (compra no e-commerce e retira na loja), incrementou 46%, em média, as vendas das lojas físicas. É o que eu sempre digo, a tecnologia bem usada traz retornos que superam as expectativas.

Em meio a esse turbilhão de mudanças, eu fico me perguntando: o que exatamente o consumidor quer? É difícil cravar uma única resposta diante de estudos, como o relatório *A vantagem da experiência-Brasil*, realizado pelo instituto de pesquisas Kantar, com dez marcas de moda. O trabalho aponta que, na visão dos consumidores, os ambientes de varejo on-line e offline são mais que um lugar para compra de produtos, são onde as pessoas se socializam, exploram, relaxam e se conectam. E os brasileiros valorizam as experiências, principalmente os jovens – 52% dos Millennials preferem gastar em experiências do que em bens materiais.

O estudo revelou, ainda, que as marcas que são centradas nos clientes trazem mais satisfação e vendas: aquelas que têm alinhamento rápido somam 3,6 vezes mais clientes satisfeitos e eles estão 2,4 vezes mais dispostos a comprar produtos adicionais. E surpreendentemente, as marcas que excedem em larga escala as expectativas dos consumidores crescem mais de 247%. Em outro estudo, denominado *Energias Globais*, envolvendo 34 mil entrevistas, em 26 diferentes países, a Kantar apontou as oito principais tendências que se tornarão cada vez mais importantes para o consumidor. São elas:

- Preocupação com responsabilidade social e ambiental;
- Conexões humanas mais relevantes;
- Flexibilidade nas transações;
- Simplicidade;
- Preservação da própria identidade;
- Proteção física, digital, ambiental e financeira;
- Busca incessante pela experiência positiva;
- Bem-estar físico e espiritual.

Assim, vale enfatizar que, para marcar presença de forma positiva do Novo Varejo, é essencial não só investir na transformação digital, mas também ficar atento aos desejos do consumidor. A chamada "experiência" não significa apenas investir em ferramentas que aguçem o sensorial. Exige agilidade no processo, uma operação sem atritos, alta qualidade de atendimento, alinhamento do marketing e das promoções em todos os canais, diversidade de formas de pagamento, conectividade e uma equipe de vendas muito bem capacitada. Além, é claro, de entrega rápida e facilitada e muita personalização, desenvolvida com base em uma análise assertiva de dados.

## O NOVO PETRÓLEO

Quantas vezes você não ouviu que os dados são o novo petróleo, o ouro negro do século XXI? Eu ouço a todo momento. E cada vez que escuto, tomo ainda mais consciência de que vão se destacar no mercado global – cada vez mais competitivo –, as marcas que melhor souberem analisar os dados disponíveis em todos os pontos de contato com seus consumidores e também fora deles.

Durante uma das últimas edições do Latam Retail, um dos maiores encontros de varejo do país, impressionei-me com um vídeo que revelava quanto o Alibaba se preocupa com a questão dos dados e quanto os utiliza de forma assertiva. Nele, Jack Ma dizia: "Eu sei o número do sutiã de todas as mulheres da China, e as que vivem em Zhejiang são as que usam o menor tamanho". E não se trata de metáfora, não. O Alibaba, por meio de sua plataforma do superapp WeChat, captura um volume incomum de dados e sabe processá-los de maneira inteligente, com benefício para o próprio cliente, que é abordado de forma personalizada, e mais ainda para os próprios negócios.

A partir da análise de dados, é possível atingir a eficiência operacional nos pontos de contato com o consumidor e, com isso, descobrir novas oportunidades de negócios, algumas até então inimagináveis. O segredo para conquistar o consumidor está na combinação de três

**O consumidor quer o produto na mão na mesma velocidade que ele tecla na compra pelo celular.**

itens básicos: relevância, diferenciação e conhecimento. E como fechar essa equação? Com dados, muitos dados, minerados de modo eficiente, com ajuda da tecnologia.

## CONSUMIDORES COMPRAM O BENEFÍCIO, NÃO O PRODUTO

Quem é e como conquistar o consumidor do futuro foi tema de um estudo da WGSN, uma especialista global em previsão de tendências, denominado *Futuro do consumidor 2021*. Ao final, a conclusão é que as marcas precisam deixar de ser commodities e falar diretamente para o consumidor. À *Época Negócios*, de 2019, Petah Marian, líder global da área de *insight* da WGSN, afirmou que os Millennials serão os responsáveis pelas principais mudanças nos próximos dois anos, mas que não devemos ignorar a Geração Z, que começa a chegar ao mercado consumidor. Um terço dos Millennials diz que já deixou de comprar de uma marca por questões éticas, revela o estudo. É muita gente, o que faz acender o alerta para todas as empresas e sinaliza a necessidade de as marcas criarem um propósito a longo prazo, mesmo que em algumas situações isso signifique a perda de lucros no curto prazo.

Mais conscientes do impacto ambiental de suas ações, consumidores das Gerações Y (Millennials) e Z estão dispostos a consumir cada vez menos. O maior desafio das empresas – e a Bibi se encontra nesse grupo – é saber em que "pontos da jornada de compra eles ainda estão dispostos a gastar dinheiro e, com isso, criar produtos e serviços que as pessoas realmente valorizem e amem", como disse Petah Marian à *Época Negócios*.

Diante dessa tarefa, a Bibi tem trabalhado dia após dia para entregar ao consumidor mais do que um calçado, entregar benefícios. Isso se traduz no desenvolvimento da palmilha Fisioflex, que garante à criança a sensação de andar descalço, além de não interferir no desenvolvimento normal dos pés e proporcionar maior contato com todos os estímulos da natureza; garantia de proteção à toxidade, não prejudicando a saúde dos pequenos; e uso do couro no lugar da matéria-prima sintética, permitindo que os pés transpirem, além de ser mais resistente. Também desenvolvemos a tecnologia Drop, que não deixa a água penetrar no calçado, da qual já falamos. Nossos calçados são leves e todos contam com solado antiderrapante. O consumidor agradece.

## 10 *INSIGHTS* PARA A TRANSFORMAÇÃO DO VAREJO

Por **ALBERTO SERRENTINO,** fundador da Varese Retail

Os negócios de varejo tradicionais vêm sendo desafiados a repensar estratégia e modelo de negócio para enfrentarem as mudanças que o mundo digital, os novos modelos de negócio e os novos perfis de concorrência vêm provocando em comportamento, relacionamento com marcas e processos de compra por parte de consumidores. As mudanças afetam negócios e empresas nos mais diversos mercados, segmentos, porte e posicionamento, e desafiam as lideranças em sua agenda estratégica e definição de prioridades e iniciativas.

O processo de mudança a ser enfrentado pelas empresas de varejo tradicionais tem sido chamado de transformação digital. Prefiro chamá-la de transformação do varejo. Neste texto, trago dez *insights* e provocações sobre os temas estratégicos que devem ser analisados para que as empresas possam desenvolver a sua agenda de transformação.

### 1. DEFINA VISÃO E ESTRATÉGIA E ALINHE LIDERANÇAS.

A transformação digital de um negócio estabelecido não é um projeto. Tampouco é um conjunto de iniciativas para crescimento de canais digitais ou incorporação de novas tecnologias. É uma reorientação na maneira como a marca vai se relacionar com os seus clientes, alterando a forma como organiza estrutura, processos, pessoas e uso de tecnologia. Com isso, caracteriza-se por uma jornada, que começa e não termina, porque o processo de aprendizado contínuo modifica a dinâmica de inovação e desenvolvimento do negócio.

Por outro lado, não há como projetar ROI (retorno sobre investimento) de transformação digital nem criar um plano de negócios (*business case*) para justificar esforços e investimentos. E a empresa terá de lidar com as naturais resistências, os conflitos e o "sistema imunológico" refratário à inovação e às mudanças.

A agenda de transformação só tem possibilidade de êxito se for definida como prioridade estratégica pelas instâncias decisórias e estratégicas do negócio – acionistas, conselho, diretoria executiva. A visão, a ambição e a velocidade, além da predisposição para mudanças, riscos e investimentos, devem ser definidas em âmbito estratégico. Em seguida, as lideranças precisam ser envolvidas e engajadas, para que haja alinhamento e capacidade de execução.

Sem a visão estratégica e o alinhamento das lideranças, abrem-se frentes e iniciativas dispersas, com efeito limitado para a transformação do negócio.

## 2. PROTEJA A CULTURA E DESAFIE A SUA EVOLUÇÃO.

Empresas com cultura forte e pessoas engajadas têm maior capacidade de acelerar processos de inovação e avançar na agenda de transformação sem se perderem no caminho.

Sistemas de valores, princípios e propósito são elementos poderosos para dar suporte aos processos de mudança. Por outro lado, é preciso enriquecer a cultura com novos elementos que permitam às empresas mudar sem perder a sua essência.

Os elementos que precisam ser incorporados à cultura das empresas para que sejam capazes de acelerar o processo de transformação caracterizam a "cultura digital". Trata-se de uma aproximação de empresas tradicionais de características que marcam startups e empresas digitais nativas. Os principais elementos são:

- **OBSESSÃO POR CONSUMIDORES E DADOS.** Empresas de varejo concentram grande parte de seus esforços em gerenciar produtos e operações, e pouco em clientes. É preciso ter real obsessão por clientes e dados de clientes, entender sua jornada e colocar clientes e dados no centro de processos decisórios.
- **CONECTIVIDADE MÓVEL.** A revolução digital ganhou impulso exponencial pela mobilidade. Iniciativas precisam priorizar aplicações em plataformas móveis, tanto para melhoria

de produtividade e automação de processos como para interfaces com clientes.

- **FOCO EM RESOLUÇÃO DE PROBLEMAS.** Startups e empresas digitais apaixonam-se por problemas, porque é a partir de ineficiências e atritos que se identificam oportunidades. Empresas estabelecidas precisam orientar seus esforços de inovação para resolução de problemas – nos processos internos e nas experiências de clientes – para geração de valor.

- **ERRAR RÁPIDO, ERRAR BEM E ESCALAR ACERTOS.** As empresas sempre visaram minimizar os erros e aumentar a qualidade. Isso continua sendo válido, mas, sem assumir riscos e cometer erros, dificilmente consegue-se inovar. Negócios estabelecidos terão de desenvolver ambientes e processos que permitam às suas equipes intensificarem testes rápidos, com autonomia para experimentação, e que tenham capacidade de identificar acertos e replicá-los em escala.

- **TI ESTRATÉGICA.** Apesar de a agenda de transformação não ser de incorporação de novas tecnologias, o papel e a gestão de TI devem mudar nas empresas. De uma área fechada e reativa – que responde a demandas das áreas de negócios –, deve tornar-se agente ativo de inovação, interagindo de maneira descentralizada em equipes multifuncionais que abordem a resolução de problemas de negócios à luz de novas arquiteturas e ferramentas.

- **COLABORAÇÃO.** Em ambiente de aceleração de mudança – o surgimento de novas tecnologias

**As mudanças afetam negócios e empresas nos mais diversos mercados.**

e modelos de negócio –, a velocidade torna-se imperativa. Dificilmente as empresas conseguirão aprender e desenvolver sozinhas os recursos necessários para a transformação do negócio e a aceleração nos processos de inovação. Assim, é importante que a cultura seja mais permeável, aberta e colaborativa, envolvendo diversas partes interessadas, como fornecedores (produtos, serviços e tecnologia), concorrentes, clientes, empresas estabelecidas e startups. Os níveis de colaboração podem envolver aprendizado, desenvolvimento de iniciativas, sociedades com propósito específico, investimentos e aquisições.

- **DESBUROCRATIZAÇÃO, AGILIDADE E DESCENTRALIZAÇÃO EM PROCESSOS E DECISÕES.** Depois de definir o sistema de valores, o propósito e a cultura, haverá a necessidade de maior delegação e autonomia para que as equipes possam implantar métodos ágeis de experimentação, validação e replicação de melhorias e inovações.

## 3. REDEFINA PAPEL E ARQUITETURA DE TI.

A tecnologia não é o fim do processo de transformação, porém é um viabilizador fundamental. A mudança dos modelos de venda de tecnologia – de produto para serviço – e a migração para a nuvem (cloud) democratizam o acesso e tornam possível a mudança nas arquiteturas de sistemas. Será necessário "desconstruir", ou seja, sair de grandes plataformas rígidas para microsserviços (componentes), o que dará flexibilidade e velocidade para atualizações e melhorias contínuas.

Por outro lado, o surgimento de novas tecnologias traz um risco de se tentar implantar todas elas e perder o foco, que deve ser a melhora de eficiência e produtividade operacional e geração de valor para clientes.

A partir das arquiteturas em nuvem, dos microsserviços, da descentralização dos processos de TI e da colaboração, é possível redirecionar o papel da tecnologia como viabilizador de mudança e agente ativo em resolução de problemas de negócios. Isso torna a TI estratégica e permite até mesmo a extinção simbólica de uma área centralizada de apoio. Isso foi feito pelo Magazine Luiza, que, depois da maturação do seu laboratório de inovação LuizaLabs, fez com que este absorvesse a estrutura de TI da empresa, voltando o seu direcionamento para a inovação e a resolução de problemas. A colaboração será determinante para a velocidade de mudança, inclusive buscando em startups e investimentos atalhos para a superação de limitações internas. Captura, consolidação, processamento e análise de dados de clientes devem permitir mudança nos processos do negócio.

## 4. ESCOLHA AS BATALHAS.

O desafio da transformação digital provoca angústia e ansiedade nas empresas, que desenvolvem a percepção de permanente atraso e a incapacidade de avançar em todas as frentes necessárias. É preciso método, disciplina e liderança para que o percurso possa ser percorrido a partir da priorização e do encadeamento nas frentes. Os pilares estruturantes precisam ser endereçados – cultura, arquitetura de sistemas e estrutura de dados. Há ganhos potenciais em aumento de produtividade e eficiência, que podem não ser visíveis para o cliente, mas tornarão o negócio mais competitivo. Iniciativas que tocam clientes devem reduzir o atrito e gerar o valor percebido. É preciso conciliar senso de urgência com senso crítico sobre a capacidade de execução.

## 5. ADEQUE O DESENHO ORGANIZACIONAL E O MODELO DE GESTÃO.

A obsessão por clientes em ambiente de transformação digital precisa evoluir para a visão de jornada do cliente. Os modelos tradicionais de varejo funcionam de maneira passiva, pois criam uma estrutura de oferta, formatos e canais de venda, geram visibilidade e estímulos e esperam os clientes em lojas e sites para buscar maximizar as taxas de conversão. Monitora-se o comportamento de clientes somente nos ambientes do negócio (lojas e sites), com indicadores agrupados e gestão pelas médias. O varejo gerencia o fluxo médio de consumidores, a taxa média de conversão, o ticket médio, o número médio de itens por transação e a venda média por vendedor. Os indicadores do varejo são fortemente orientados a produtos e operações, e pouco a clientes. Por outro lado, estruturas organizacionais geram processos fragmentados, silos funcionais e de dados, com pouca visão de clientes e suas jornadas.

A jornada do consumidor é o conjunto de ações entre uma necessidade, ou um desejo, e uma compra. O varejo vai precisar capturar dados individualizados de seus clientes em todos os pontos de contato da marca e enriquecê-los com outras bases e ferramentas, que permitam identificar as jornadas e entender o comportamento antes, durante e depois das compras. O modelo reativo de espera do cliente traz a ameaça de captura por parte de marcas que estejam mais próximas às jornadas e consigam influenciar o seu percurso.

As empresas terão de definir arquitetura e governança de dados, preparar a infraestrutura e os processos para a captura, o enriquecimento, o armazenamento e o processamento. A partir dos dados, é preciso rever os processos, para que as decisões sejam crescentemente influenciadas por dados e clientes. As mudanças nos processos levarão à necessidade de revisão de indicadores, sistemas de avaliação e recompensas e desenho organizacional, com clientes e dados no centro.

## 6. DEFINA ESTRATÉGIA PARA ECOSSISTEMAS.

O crescimento exponencial e o avanço em diversos negócios por parte de grupos chineses – como Alibaba, Tencent e Suning –, com impacto transformador para varejo, e-commerce e meios de pagamento, evidenciaram os modelos de negócio caracterizados como ecossistemas. Eles têm origem em negócios distintos, mas convergem em seu desenvolvimento. As principais características comuns são:

- A partir da sólida base de clientes com elevado grau de recorrência e capacidade de captura e análise de dados, crescimento exponencial com diversificação orientada pelos dados e pelas oportunidades detectadas junto aos clientes.
- Plataformas abertas de negócios, com ampla capacidade de crescimento alavancado por plataformas abertas de negócio. Em todas elas, há uma rede de parceiros externos (os "TPs"), que atraem empresas para as atmosferas do ecossistema.
- Colaboração por meio de alianças estratégicas, investimentos em participações, sociedades, aquisições e aceleração de startups. Os ecossistemas crescem em rede, integrando parceiros de negócios, outros negócios, incorporando ativos e colaborando até mesmo entre competidores.
- Tecnologia proprietária, localizada em nuvem, com domínio de inteligência artificial e capacidade de processamento e análise de grandes volumes de dados.
- Soluções de pagamento proprietárias e carteiras digitais.

Assim, integram-se negócios de varejo físico, varejo digital, marketplaces, conteúdo, mídia, entretenimento, soluções financeiras e de pagamentos e serviços de valor agregado, gravitando em torno dos clientes, de dados, e sustentado por tecnologia proprietária e infraestrutura operacional e logística.

As principais características dos ecossistemas também são reconhecidas em empresas como Amazon, Google, Mercado Livre e estão na agenda estratégica de diversas empresas de varejo, inclusive no Brasil. Estrategicamente, marcas e empresas de varejo terão de definir estratégias para o desenvolvimento de ecossistemas ou para aprender a se relacionar com eles, pois seu peso e sua dominância nos mercados de varejo, e-commerce, mídia e serviços serão crescentes. No Brasil, os cinco maiores varejistas on-line já possuem marketplaces (B2W, Via Varejo, Magazine Luiza, Netshoes e Dafiti). Se forem incorporados Mercado Livre e Amazon, nota-se que os principais operadores de e-commerce já avançam em agendas de diversificação e evolução de modelo de negócios para plataformas e ecossistemas.

## 7. REPENSE O PAPEL DA LOJA.

Lojas físicas têm e terão papel estratégico e relevante para marcas e negócios de varejo. Os desafios serão repensar como a loja será capaz de gerar valor em modelos de negócio de varejo transformados e como será medida a contribuição das lojas físicas para os negócios.

Os sistemas de gestão e os indicadores de boa parte das empresas de varejo têm forte orientação à gestão de produtos e operações. No caso das lojas, há pouca visão; poucos indicadores voltados a clientes, pouco aproveitamento no potencial de captura de dados e pouca ampliação de oportunidades. O varejo mede e gerencia as operações pelas médias. Um varejo orientado a clientes e dados terá que entender, a partir das jornadas dos clientes, quem está na loja, como chegou lá, o que fez antes, como e quando decide, onde processa as decisões e o que faz depois disso. Por outro lado, as lojas físicas são medidas por sua contribuição direta, ainda vinculada às vendas efetivamente processadas em seu espaço e ao lucro bruto gerado por elas.

A diversificação de canais, o aumento de participação das vendas on-line e o aumento de participação das mídias digitais vêm gerando aumento progressivo no custo de aquisição de clientes para os canais digitais. Também há o desafio de operacionalizar de maneira sustentável o processamento e a entrega (fulfillment) de vendas on-line, que têm na logística e última milha seu maior gargalo operacional. Com isso, a pressão econômica sobre operações de e-commerce, que veem seus gastos médios com marketing (para atrair, reter e ativar clientes) e logística (para processar e entregar rapidamente de forma capilar) desafiarem modelos econômicos e modelos de negócios. Já nas empresas tradicionais, aumentam os silos de dados, que tornam complexa a visão unificada de dados de clientes e de suas jornadas, para que processos possam ser transformados.

Em 2016, Jack Ma, fundador do Alibaba, lançou um desafio e uma provocação para a empresa: eles deveriam pensar em um "Novo Varejo" (New Retail), sem fronteiras entre varejo físico e digital e que fosse orientado a dados e clientes. A partir dessa ideia, o Alibaba, seguido pelos demais ecossistemas chineses, desenvolveu conceitos de varejo; adquiriu várias empresas de varejo e participações relevantes em empresas; passou a orientar a sua capacidade de análise de dados e o uso do ecossistema para tornar o varejo mais assertivo, inteligente e digital; e vem abrindo lojas em diversos segmentos. Clientes e dados conquistados e ativados em lojas físicas geram dados e oportunidades para a captura de valor por parte do ecossistema, em todos os seus negócios.

Em um modelo de Novo Varejo, a loja física ganha importância estratégica e passa a desempenhar distintos papéis:

- **AQUISIÇÃO DE CLIENTES:** o custo médio de aquisição de um cliente em loja é significativamente inferior ao custo on--line, mas isso não é medido pelo varejo.
- **CAPTURA DE DADOS:** consumidores em lojas geram muitos dados relevantes, que não são capturados, processados e utilizados para a ativação com o uso de tecnologia e ferramentas digitais.
- **EXPERIÊNCIA E RELACIONAMENTO:** lojas físicas têm o poder de atrair, engajar e criar conexões emocionais e contato físico com consumidores, fatores relevantes para recorrência e relacionamento.

> O varejo vai precisar capturar dados individualizados de seus clientes em todos os pontos de contato da marca e enriquecê-los.

- **ENTREGA E *FULFILLMENT*:** nas lojas é possível processar compras on-line de maneira mais rápida, próxima dos clientes e com menor custo. As lojas serão um ativo estratégico para operacionalizar a "última milha" e tornarem-se mini-hubs logísticos descentralizados, em condições de processar e entregar produtos.

A melhor expressão de Novo Varejo por parte do Alibaba foi o desenvolvimento da rede de supermercados Hema, na China. Trata-se de uma loja de aproximadamente 2 mil metros quadrados, na qual, para comprar, o cliente precisa baixar o aplicativo da loja e ser usuário do aplicativo de pagamentos do Alibaba – o Alipay. A loja oferece um amplo sortimento de perecíveis, com destaque para frutos do mar vivos, comida pronta, áreas de consumo tematizadas, mercearia e muitos outros. Os serviços da loja e o pagamento são feitos por aplicativo. Além disso, pelo aplicativo da loja é possível fazer pedidos para entrega em um raio de até 3 quilômetros, processados pela loja em até 30 minutos. De um lado, o uso do aplicativo para compras nas lojas e pedidos para entregas gera dados detalhados sobre as jornadas dos clientes, seus comportamentos e o uso de canais. De outro, a loja consegue focar sua operação em categorias de alto valor agregado e margem, serviço, experiência e interação com clientes e, ao mesmo tempo, resolver a demanda por compras recorrentes rápida e produtivamente. A partir dos dados de clientes, a rede define o seu plano de expansão, a localização e as novas lojas, ajusta sortimento e preços de cada loja e melhora a produtividade e os padrões operacionais.

O movimento do Alibaba vem sendo seguido por outros ecossistemas como JD.com, Suning, Tencent e Amazon.com, em suas várias incursões em negócios de varejo e integração deles a seus modelos de negócio.

As lojas físicas terão de operar com mínimo de atrito em processos; utilizar tecnologia para aumentar sua assertividade em gestão de sortimento, precificação, disponibilidade de produtos, velocidade de processos e qualidade de serviço; e elevar o grau de experiência para os clientes, a fim de motivá-los a voltar e querer estar nelas. Também terão de tornar-se plataformas de serviços e soluções, que serão capazes de resolver problemas de clientes em vez de vender produtos. Isto é, a tendência é a transformação de farmácias em centros de saúde e bem-estar, e de lojas de produtos para casa e digitais em espaços de projetos, instalação, reparos, suporte e aprendizado.

O futuro da loja será vigoroso, desde que o seu papel seja ampliado e a sua capacidade de geração e mensuração de valor seja efetivamente aproveitada.

## 8. DESAFIE O MODELO DE NEGÓCIO.

Empresas nascidas no mundo digital tentam identificar oportunidades a partir de ineficiências e atrito nas cadeias de valor estabelecidas. Surgem assim novos modelos de negócio que desviam demanda, capturam valor, conquistam clientes e desafiam os modelos de negócio estabelecidos. Em casos extremos, provocam o que se convencionou chamar de "disrupção", quando negócios e segmentos são transformados por inovações e novos modelos.

Os negócios tradicionais confrontam-se com a inércia natural de seu legado, as iniciativas de inovação e a necessidade de repensar modelos de negócio. Entretanto, há movimentos de empresas desafiando seus modelos de negócio e repensando formas de captura e geração de valor.

No extremo, é possível vislumbrar o varejo (e a loja física) como prestador de serviço. É o modelo denominado "varejo como serviço" (*retail as a service*). Exemplo disso é o da rede norte-americana B8ta, que vende produtos digitais inovadores em ambiente de curadoria, experimentação e venda consultiva, no qual os fornecedores disponibilizam seus produtos em consignação e remuneram a loja por exposição, atendimento, processamentos das vendas e dos dados e *insights* gerados pelos clientes. A Best Buy, maior varejista especializada em eletroeletrônicos e produtos digitais nos Estados Unidos, vem investindo em serviços (que começaram com instalação, reparos e seguros, e evoluíram para projetos e soluções, passando por diversificação para modelos de receita recorrente), inclusive por meio de aquisições. Também implantou modelos de cobrança por espaço dedicado para algumas marcas em suas lojas.

No Brasil, o Magazine Luiza vem transformando o seu negócio em plataforma, com perspectiva de se tornar um ecossistema. A visão é de um negócio digital, com lojas físicas e calor humano. A aceleração do ritmo de crescimento se dá por expansão do marketplace, serviços (LuizaCred, LuizaSeg), ampliação de categorias via aquisições (como Época Cosméticos e Netshoes), possivelmente carteira digital, tudo ancorado em tecnologia proprietária, infraestrutura logística e rede de lojas com presença nacional.

9. **DESENVOLVA LIDERANÇAS – FUNDAMENTOS E INOVAÇÃO.**
O papel das lideranças é fundamental no processo de transformação dos negócios. Um líder de varejo tem que ser capaz de equilibrar três agendas estratégicas:

- **CULTURA:** reforçar valores, princípios e propósito, além de proteger a cultura em sua essência. Em ambiente instável, com ciclos de mudanças mais curtos e necessidade de acelerar inovações e descentralizar processos decisórios, empresas com cultura forte e pessoas engajadas terão maior probabilidade de êxito.

- **EXECUÇÃO:** empresas tradicionais têm de lidar com o seu legado – história, ativos, pessoas, cultura, modelo operacional, resultados. A agenda de inovação não deve impedir a empresa de perseverar na busca por eficiência, produtividade e geração de resultados, com boa execução nos fundamentos do negócio. Os resultados de curto prazo geram recursos para investimentos em inovação e financiam a transformação do negócio.

- **TRANSFORMAÇÃO:** ao mesmo tempo em que é preciso proteger a cultura em sua essência, é preciso incorporar novos elementos que vão preparar a organização para os seus desafios futuros. É preciso patrocinar o processo de mudança e engajar as pessoas, desafiando o modelo de negócios. Líderes devem ter a coragem para transformar e desafiar o negócio, sem perder a sua essência.

Será preciso equilíbrio, coragem, ousadia, valorização de diversidade e, acima de tudo, disciplina. Somente organizações e líderes disciplinados serão capazes de conciliar agendas, engajar pessoas, desafiar modelos, transformar negócios e continuar gerando resultados. Inovação não é conflitante com disciplina, pelo contrário, os principais ambientes e ecossistemas de inovação no mundo possuem culturas fortemente ancoradas na disciplina estratégica e de execução.

## 10. EXECUTE COM PRAGMATISMO, SIMPLICIDADE E DISCIPLINA.

O varejo é um negócio "intensivo em gente". Há muitas pessoas na operação, interagindo com muitos clientes nas lojas. A cadeia de execução é complexa e dispersa, o que pressupõe estruturas, processos, regras e comunicação simples. Em ambiente instável, de mudança crescente, com aceleração nos processos de inovação, será preciso reforçar pragmatismo, simplicidade e disciplina na execução, tanto para os processos existentes como para protótipos, testes e implantação de inovações.

Portanto, o varejo passa pelo maior impacto de mudanças da história do negócio. O surgimento do autosserviço, dos grandes formatos, dos shopping centers, da globalização e da tecnologia transformou e desafiou os negócios, mas não se compara ao que o mundo digital está provocando e ainda provocará. A agenda de transformação digital é imperativa e deve ser conciliada com a execução operacional e a geração de resultados.

É preciso ter clareza na visão, com lideranças alinhadas, reforçar a cultura, incorporar novos elementos e priorizar as batalhas.

As mudanças pressupõem redefinição de arquitetura de sistemas, um papel mais estratégico para tecnologia, novos desenhos organizacionais e modelos de gestão. Plataformas e ecossistemas terão peso crescente nas cadeias de valor do varejo e poderão ser fonte de inspiração ou de aproximação para as empresas. As lojas sobreviverão e terão papel estratégico e os modelos de negócio serão desafiados – internamente ou por novos competidores e ecossistemas. As lideranças das empresas terão que conciliar cultura, execução e transformação, com disciplina.

Negócios de varejo transformados serão obcecados por clientes e dados, e terão estruturas e processos orientados a clientes, cultura fortalecida e pessoas engajadas.

# Parte IV
## FUTURO

# Capítulo 1
## PARA NÃO PARAR NO TEMPO

Alguns anos antes de deixar a presidência da Calçados Bibi – o que efetivamente aconteceu em 2019 –, eu comecei a me preparar para uma nova vida. Quando a idade da aposentadoria vai chegando, muita gente começa a pensar no que fazer, a quais atividades se dedicar depois de pendurar as chuteiras: se dedicar a pintura, jardinagem ou artesanato, viajar, curtir os netos... Ao fim do ciclo produtivo, muitos querem distância da profissão e dos saberes desenvolvidos e apreendidos durante a vida. Eu também tive essa preocupação. Mas logo cheguei à conclusão de que seria um desperdício jogar fora ou simplesmente guardar nos arquivos de um escritório ou da mente toda a experiência que acumulei em mais de quarenta anos como empresário e gestor de uma grande empresa.

Eu me impus uma série de metas, como escrever livro e ministrar palestras em universidades e entidades de classe. A mais importante, porém, foi sem dúvida a decisão de que eu compartilharia o meu conhecimento do mundo corporativo. Minha bagagem haveria de ser importante para outros dirigentes, outras organizações. Por isso, resolvi participar de conselhos de administração de outras empresas. Para tanto, fui me preparar. Fiz o curso de conselheiro na Fundação Dom Cabral, de Minas Gerais. O Programa de Desenvolvimento de Conselheiros (FDC) ampliou meus horizontes, me colocou em contato com colegas gestores e abriu clareiras para que eu pudesse enxergar em muitas direções. A principal delas, talvez, foi aprender a olhar em direção ao futuro.

E quando falo desse aprendizado, sempre me vem a imagem de um barco navegando um mar desconhecido. Mas, no meu caso, havia um timoneiro de pulso firme e orientação segura: o professor Paulo Vicente dos Santos Alves, um dos principais cenaristas brasileiros e autor do livro *Um século em quatro atos*.

Ele me chamou a atenção com os seus estudos futuristas durante o módulo *Cenários futuros e seu impacto na estratégia de negócios*.

"Com que futuro nossos gestores devem trabalhar?", perguntava antes de nos apresentar os cenários que poderão prevalecer para o Brasil e o mundo no futuro. Para responder a essa questão, ele recorria a dois raciocínios: um pautado pelos ciclos de hegemonia e outro, pelos ciclos de tecnologia de Kondratiev.[13] O que esses dois modos de olhar o futuro nos mostram? Veja a síntese do que ele prevê, em artigo publicado na revista *HSM Management*, "Saber planejador: o desenho do futuro":

> No raciocínio das crises hegemônicas, se a estrutura de causa e efeito do passado se mantiver (ela é a base dessa estatística), só em 2065 haverá um provável início de uma nova transição hegemônica. Então, a principal lição para os próximos 20 anos é a de que os Estados Unidos devem continuar a ser, sim, a potência dominante do planeta.
>
> No caso dos ciclos tecnológicos de Kondratiev, se confirmado o padrão, a década de 2020 será de crise generalizada, com guerras regionais, mas também de inovação tecnológica como resposta. É importante notar, no raciocínio dos ciclos tecnológicos, que, nas fases de crise, os países emergentes de cada época cresceram mais do que os que já faziam parte das economias desenvolvidas, isto é, a periferia do sistema de trocas global tem vantagens em relação à parte central, devido às curvas de retorno decrescente do desenvolvimento.

Antes de prosseguir, é importante abrir parênteses para refletirmos sobre essa afirmação. O Brasil se enquadra perfeitamente nesse panorama, portanto, é uma das nações que pode se beneficiar com o cenário descrito pelo professor Paulo Vicente, o que nos leva àquela máxima: crise é oportunidade. Na crise, crie. E cresça.

## CRISES POTENCIAIS MUNDIAIS

No mesmo artigo, o professor Paulo Vicente revela que das cinco crises identificadas, três apontam para a pressão inflacionária e duas para o aumento de custos.

---

[13] NIKOLAI KONDRATIEV (1892-1938) – economista russo que primeiro tentou provar estatisticamente o fenômeno das "ondas longas", movimento de ciclos econômicos de aproximadamente cinquenta anos de duração.

Não se pode afirmar categoricamente qual evento dará início à grande crise da década de 2020, nem se serão diversas crises menores, mas é possível tentar mapear suas prováveis fontes. Para isso, o lógico é utilizar as dimensões PESTAL (política, econômica, social, tecnológica, ambiental e legal). Até 2030, existe a probabilidade de pelo menos cinco crises potenciais, a saber:

- **CRISE DOS SISTEMAS DE APOSENTADORIA:** a maior parte dos sistemas de aposentadoria do mundo se baseia na solidariedade entre gerações. À medida que a população envelhece e a taxa de natalidade cai, o sistema fica cada vez mais vulnerável, pressionando os governos a aumentar o tempo de contribuição, o que é caro politicamente, ou imprimir mais moeda, causando inflação. Cada país tem uma vulnerabilidade diferente a esse risco, o que implica um efeito maior nos países desenvolvidos e menor nos ainda em desenvolvimento.

- **GRANDE DEPENDÊNCIA DO PETRÓLEO:** existe alta correlação entre o consumo de energia *per capita* e o PIB *per capita*, indicando que o acesso à energia é fundamental para o desenvolvimento de uma nação. Entretanto, a matriz energética mundial é fortemente baseada em combustíveis fósseis, sobretudo o petróleo. Esses combustíveis, porém, ficam cada vez mais escassos e caros, de maneira que a oferta de petróleo deverá ser menor no futuro, limitando o crescimento econômico. Um aumento do preço da energia causará uma pressão inflacionária em um primeiro momento e uma reação de desenvolvimento de novas tecnologias posteriormente.

- **REDUÇÃO DOS GLACIARES:** ninguém tem certeza por qual razão as geleiras do mundo inteiro estão sendo reduzidas, com destaque para os glaciares. Projeções indicam que alguns deles vão sumir nas próximas décadas. Isso implica a redução do volume de água em rios importantes, como Indo, Ganges, Yang-tsé, Mekong, Danúbio, Reno, Missouri, Mississippi, Amazonas e Paraná, resultando em menor oferta de comida e água no mundo todo, em particular na Ásia. Aqui, mais uma vez, surge uma pressão inflacionária.

- **ESTADOS INEFICIENTES E INEFICAZES:** governos do mundo todo têm problemas de governança e universalização de serviços públicos. Existem cada vez mais problemas transnacionais que os impedem de resolver sozinhos seus desafios. Esse problema não só retarda a tomada de decisão, como eleva os custos de transação, na forma de impostos.

- **NOVOS CONFLITOS MILITARES:** após a queda da URSS, houve uma mudança na geopolítica mundial, com o surgimento da União Europeia e a ascensão de países como os BRICS.[14] Com a luta contra o terrorismo, a situação se tornou ainda mais complexa. Em um futuro próximo, diversas regiões de conflito podem entrar em guerra, particularmente se os Estados Unidos reduzirem sua força militar por problemas de orçamento. As regiões de conflito potencial mais claras são o Oriente Médio, o Sudeste da Ásia, a Europa Oriental, os Bálcãs e a África Subsaariana. Caso os Estudos Unidos reduzam sua força militar e novos conflitos venham a surgir, os custos do Estado aumentarão, gerando maior pressão sobre os custos de transação, na forma de impostos.

Na Bibi, temos por conduta olhar os cenários com atenção, analisá-los e antecipar o máximo possível os desejos dos consumidores não só no Brasil, mas também no mundo. A expectativa é que, em 2025, o mundo chegue a oito bilhões de habitantes, precisamos estar atentos às novas demandas. Sempre digo que em tempos de calmaria a tendência das organizações é permanecer na zona de conforto, não buscar o novo, o fazer diferente. Quando nos antecipamos às tendências futuras, somos obrigados a virar essa chave, aumentar nosso apetite pelo risco, inovar. É nessa sintonia que tocamos a Bibi.

## RUPTURAS TECNOLÓGICAS

Quando o professor Paulo Vicente analisa as possibilidades tecnológicas, parece que estamos assistindo a um filme de ficção científica, senão, vejamos:

*Para superar as crises, surgem novas ideias e são realizados investimentos em pesquisa e desenvolvimento (P&D). A melhor maneira de prever o que está por vir é saber o destino dos recursos para P&D. O Departamento de Defesa norte-americano aponta para doze tecnologias consideradas prioritárias para a defesa: biotecnologia, energia dirigida, geração de energia, guerra de informação, inteligência artificial, materiais e*

---

[14] BRICS – em economia, BRICS é um agrupamento de países de mercado emergente em relação ao seu desenvolvimento econômico. Na sigla em inglês, são eles: Brasil, Rússia, Índia, China e África do Sul.

manufatura, medicina avançada, nanotecnologia, neuroergonomia, robótica, sensores e tecnologia espacial.

O professor da Dom Cabral analisa as três que ele considera mais relevantes:

- **EXPECTATIVA DE VIDA:** a combinação de biotecnologia, nanotecnologia e medicina avançada pode permitir reparar danos celulares e consertar defeitos genéticos, aumentando a expectativa de vida humana para 120 anos. É bem provável que a expectativa de vida dos leitores que hoje têm menos de 50 seja superior a 110 anos.

- **ELEVADOR ORBITAL:** os avanços em tecnologia espacial, materiais, manufatura e nanotecnologia podem permitir a construção de um elevador espacial sobre o equador terrestre. Tal máquina abriria as portas do espaço para a colonização humana, levando as atividades poluidoras para fora da Terra e permitindo acesso a novos recursos naturais. Como o projeto tem de ser feito sobre o equador, um dos locais mais cotados para a construção dele é o Amapá.

- **TRANSUMANISMO:** a interface homem-máquina, que a neuroergonomia deverá permitir em uma ou duas décadas, abrirá espaço para que os humanos sejam transformados em seres ainda melhores do que são.

Na verdade, não é possível afirmar como essas tecnologias se desdobrarão, mas apenas vislumbrar possibilidades na forma de cenários, pois o futuro não é predeterminado. Ao analisar o cenário brasileiro, o professor Paulo Vicente leva em consideração duas variáveis, ambas externas ao Brasil. A primeira se refere ao nível de impacto das

> **Temos as bases que qualquer economia requer e os investidores estão prontos para investir aqui.**

crises mundiais no país, e a segunda, a como se dá a integração regional da América do Sul.

- Grande mercado (integração da América do Sul, envelhecimento da população, ascensão da classe média e atratividade para investimento).
- Grandes desafios (várias barreiras de crescimento, novo jogo político, mentalidade de curto-prazo).

Paulo Vicente aponta como barreiras ao crescimento os seguintes pontos:

- Protecionismo;
- Sistema legal e tributário;
- Infraestrutura de transporte;
- Energia;
- Educação;
- P&D (Pesquisa e desenvolvimento);
- Defesa e segurança.

Apesar dessas barreiras, o cenário é positivo porque:

- O Brasil tem um grande mercado emergente para investir;
- Há um grande potencial de longo prazo, decorrente da extensão territorial, da classe média ascendente e da população crescente;
- O risco político-militar é baixo.

Para concluir, o professor escreve:

*Como um exercício de probabilidades, eu diria que uma integração regional estável e pacífica é mais provável, em uma relação de 60%-40%. Quanto às crises externas, creio que o Brasil está fora das zonas mais problemáticas de escassez de água e energia, bem como de conflitos militares, e, assim, posso estimar uma probabilidade de 60%-40% também. Desse modo, o cenário mais provável seria o de uma ilha de estabilidade com 36%. O leitor pode mudar essas probabilidades como as perceber para seu próprio uso. As mudanças no futuro são inevitáveis, assim como as crises, e imaginá-las – ainda que não possam ser previstas com exatidão – permite que nos preparemos para elas de maneira proativa em vez de reativa. O futuro do Brasil não é nem bom nem ruim por si;*

*ele depende das escolhas que cada um de nós faz a cada dia e que compõem as decisões conjuntas da sociedade.*

## UM PAÍS DE GRANDES OPORTUNIDADES

Eu comungo das visões do professor Paulo, contudo tenho também o meu próprio olhar sobre o Brasil. Eu acredito num futuro brilhante para o nosso país, não apenas porque sou otimista, mas, principalmente, porque temos as bases que qualquer economia requer para isso. O Brasil tem grandes reservas naturais: água em abundância, muitas áreas para serem ocupadas, bom potencial de geração de empregos e desenvolvimento regional. Não é à toa que os investidores estão com os olhos focados no país, há um grande interesse de investidores estrangeiros. Há quem diga que a classe média esteja estabilizada. Eu discordo. Com o equilíbrio da economia, a reforma da previdência e a reforma trabalhista, a tendência é que a oferta de empregos volte a crescer nos próximos anos e, consequentemente, o consumo.

A minha certeza nesse futuro promissor do Brasil também passa pelo agronegócio – uma das bases da nossa economia e referência em inovação e geração de riqueza. De acordo com o estudo *Outlook Fiesp 2028 – Projeções para o agronegócio brasileiro*, com a continuidade da política econômica e a efetivação das reformas estruturais, será possível ver um ciclo de recuperação com o crescimento do PIB, os juros baixos, a inflação contida, a melhoria da situação fiscal do país por um tempo duradouro. Eu acredito nisso.

Ainda de acordo com o estudo da Fiesp, até 2028, o ritmo de crescimento da produção brasileira será superior ao do mundo para produtos como soja, milho, açúcar e carnes (bovina, suína e de frango). A produção média de grãos crescerá 18% até 2028. As lavouras de segunda safra (inverno) serão responsáveis por 33% da produção de grãos em 2028.

Em 2020, o principal gargalo para o pleno crescimento do país ainda é a educação. Falta mão de obra qualificada para a realidade oferecida pela transformação digital. Cabe aos líderes preparar as novas gerações para esse novo cenário. Na Bibi, nós abraçamos esse desafio, buscamos parcerias, investimos no desenvolvimento do potencial humano interno e da região que nos circunda. As organizações precisam ter consciência de que esse também é um papel delas, e não apenas do Estado.

Enxergo, ainda, inúmeras oportunidades de negócios num futuro próximo ligadas ao envelhecimento da população, com a chamada "economia prateada".

A camada da população com mais de 60 anos movimentava cerca de 1 trilhão de reais por ano no Brasil em 2019 e respondia por 50% do consumo global. Eles estão nas ruas, consumindo, se divertindo, vivendo. A carência de produtos e serviços voltados para esse público, apesar de a expectativa do século XXI ser o século da velhice da humanidade, é grande. São inúmeras as chances de novos negócios, seja no campo do turismo, seja na saúde, na habitação, no entretenimento, na gestão financeira, na mobilidade, nos cuidados e na tecnologia.

Para construirmos o futuro que projetamos, o regime não se discute. Não importa se é capitalismo ou não capitalismo, o que precisamos é de talentos, mais que isso, de "talentismo". Já em 2016, Klaus Schawab, criador do Fórum Econômico Mundial, afirmava à *Época Negócios* que o talento suplantaria o capital como propulsor do capitalismo no século XXI:

> *Quando olho para ao futuro, acredito que precisamos de uma quarta revolução ideológica, centrada no ser humano, para nos ajudar a encontrar valores que sirvam de base para o nosso futuro coletivo.*
>
> *Nós já conhecemos algumas de suas características: maior liberdade individual, mais responsabilidade perante a sociedade, aprendizado perpétuo, fortalecimento da cultura local e maior respeito à diversidade. Costumo dizer que o capitalismo será seguido pelo "talentismo", que será um sistema onde o foco está no talento, e não no capital. Essas são as bases para uma nova ideologia do século XXI. Estamos prestes a assistir ao seu desabrochar.*

Diante disso, fica cada vez mais evidente que as companhias que pensam somente em gerar lucros têm de se reinventar. É preciso enxergar que as empresas são agentes de mudanças, que possuem compromisso não só com seus colaboradores, acionistas e parceiros, mas também com a sociedade. Na trilha do "talentismo", as organizações têm de pensar no conjunto da obra, e não apenas no próprio umbigo. O novo conceito tem por foco a capacidade de inovar e fazer circular ideias por meio do talento, da educação e do empreendedorismo. Sempre, é claro, com uma visão de compromisso junto à sociedade, ao meio ambiente e às causas sociais que permeiam o entorno da companhia, do bairro onde está inserida, da cidade, do país e também do mundo.

O capitalismo nos últimos anos tem levado muitas lideranças ao estresse, na busca desenfreada por resultados, do lucro a qualquer custo. Na Bibi, praticamos outra cartilha. Trabalhamos para oferecer ao cliente produtos que resolvam as suas necessidades. Para isso, procuramos engajar todos os nossos colaboradores nessa jornada, o lucro é consequência desse processo. O futuro, com cada vez mais adeptos do capitalismo consciente, tende a recuperar a essência do capitalismo, com bom atendimento ao cliente, colaboradores engajados e alinhados com o propósito da empresa e uma produção que respeite a ética, a sociedade e o meio ambiente. O lucro, não tenho dúvidas disso, será uma consequência.

Por fim, ainda destaco outro movimento que já é forte e, num futuro próximo, tende a se tornar efetivamente o quinto poder – as redes sociais. Vocês já pararam para pensar a força da pressão exercida pelas redes sociais? É muito grande. Está acima de qualquer expectativa. As organizações têm de ficar atentas, acompanhar de perto o que os consumidores estão falando de sua marca e, ainda, fincar presença nesse território sem fronteiras. Quem ainda navega discretamente nesse universo precisa mudar, e rápido!

## OS RUMOS DA BIBI

É certo que não temos controle sobre o que acontecerá daqui a um ano, uma década ou mais. Mas sabemos que o futuro a gente ajuda a construir, pelo menos no mundo dos negócios. Na Bibi, levamos a sério esse desafio. Aos poucos, fomos aprendendo a olhar cada vez mais longe, planejar aonde nossos projetos poderiam nos levar. Em 2019, por exemplo, já tínhamos colocado no papel exatamente o que esperamos conquistar até 2030. É o que chamamos de carta estratégica. Uma redação simples, uma única folha de papel, para que todos entendam e ajudem a colocar em prática cada um dos itens ali mencionados, e, no final, alcancemos juntos os objetivos. Em pouco mais de uma década, a Bibi se consolidará como uma marca global de desejo, participando da construção de um mundo que seja bom para todos e alcançando uma média de 90% de satisfação de todos os nossos parceiros – franqueados, clientes, colaboradores, fornecedores e diretores. Essa é a nossa meta.

Não temos bola de cristal, apenas nos preparamos para isso dia a dia. Nosso objetivo é continuar aumentando nosso número de lojas no Brasil e no exterior.

Quando olhamos em direção ao futuro, nos preocupamos com o legado que deixaremos para as próximas gerações. As empresas têm de fazer isso, construir uma história que sirva de exemplo, que siga pelos caminhos do capitalismo consciente, e não do capitalismo selvagem. É nessa direção que nós trabalhamos fortemente. Enquanto eu estava à frente da presidência e, hoje, quando ocupo uma cadeira no Conselho, eu acordo e faço sempre a mesma pergunta: "O que nós queremos para o futuro?".

Em setembro de 2019, toda a liderança da Bibi, sua diretoria e seus conselheiros se reuniram por dois dias em um hotel, em Gramado, na Serra Gaúcha, para pensar a Bibi de 2030. A liderança não tem de olhar para o retrovisor, ela tem de olhar para a frente de maneira estratégica. Os questionamentos devem ser intensos: O que nós queremos? Como é que nós estamos hoje? É muito importante saber como nós estamos e como seguiremos adiante. É de extrema importância a preparação contínua para o futuro. Quem se preocupa apenas com o passado esquece o presente, e quem foca no hoje não se prepara para crescer amanhã. Com qual atitude você se identifica mais? Ainda há tempo para mudar.

# Capítulo 2
## ESSA TAL FELICIDADE

Qual é o motivo que nos faz levantar todas as manhãs? Os japoneses residentes no grupo de ilhas de Okinawa, ao sul do Japão, parecem saber, há décadas, a resposta para essa pergunta. Eles encontraram o seu *ikigai*, um conceito japonês antigo que pode ser o segredo para uma vida longa e feliz. Não existe uma tradução direta para o termo. No entanto, o neurocientista japonês Ken Mogi, autor do livro *Ikigai: Os cinco passos para encontrar seu propósito de vida e ser mais feliz*, diz que "*Ikigai* é a sua razão de viver, é o motivo que faz você acordar todos os dias". E esse conceito, nascido no arquipélago e que se espalha para o mundo, é, segundo os estudiosos, a razão para Okinawa ter uma população de moradores centenários bem acima da expectativa de vida média, mesmo para os padrões japoneses.

A longevidade dos habitantes da ilha, escreve Mogi, vem da ideia de que é *muito importante identificar as coisas que você gosta de fazer e que te dão prazer, porque elas dão propósito à vida e levam a uma existência longa e feliz. E não se trata apenas de viver por um longo tempo, mas de aproveitar a vida e saber o que você quer fazer com ela.*

O *ikigai* se liga, em sua essência, à felicidade. Por isso, tornou-se tema de dois encontros, realizados em 2018, no Onovolab – centro de inovação instalado em São Carlos (SP), que reúne tanto grandes empresas que estão desembarcando na cidade para se conectar às universidades, quanto startups que se desenvolvem nesse ambiente, gerando negócios e oportunidades. Os curadores dos encontros fizeram a conexão entre felicidade e mercado corporativo, porque *ikigai* também se relaciona com a profissão e o trabalho de cada um.

Um dos convidados para o encontro foi o pesquisador da Universidade Federal de São Carlos (UFSCar), Jorge Oishi. Doutor em estatística, Oishi foi responsável pela maior e mais completa pesquisa já feita no Brasil para medir o índice de felicidade do paulista. Na época da pesquisa, entre 2002 e 2006, Oishi era professor-doutor do Departamento de Estatística e, junto com a equipe, chegou à conclusão de que o índice de felicidade no estado de São Paulo era de 6,4, numa escala de 0 a 10.

A pesquisa ouviu seis mil famílias e mostrou que a sensação de felicidade das pessoas aumenta com o nível de instrução. Entre os que não concluíram o primeiro grau, apenas 21% disseram que são muito felizes, contra 54% dos que têm pós-graduação; 85% das mulheres e 88% dos homens disseram que têm um nível alto de felicidade.

Mas onde está a felicidade? No ar? Dentro da gente? Os entrevistadores perguntavam para a pessoa se ela era muito feliz e a quais fatores atribuía a sua felicidade. Detectou-se família, saúde, satisfação com a vida, religiosidade. O dinheiro aparecia em quinto lugar. Jorge Oishi afirma que:

> Família e dinheiro são coisas muito importantes, isso é inegável.
> Só que o dinheiro é uma coisa muito mais concreta do que família, do ponto de vista de motivos para a felicidade. O dinheiro é importante porque a gente vive em função dele – a família precisa do dinheiro para pagar suas contas, para comer, se vestir.

O mesmo tipo de estudo também foi realizado em outras partes do mundo. Um dos mais completos é do pesquisador norte-americano Ed Diener, professor de Psicologia na Universidade de Utah e na Universidade da Virgínia. Em vários países, os participantes atribuíram notas para avaliar a própria felicidade. A média dos brasileiros ficou abaixo de 8. O que chamou a atenção foi que todos os países que tiveram média acima de 9 são considerados ricos.

## A FÓRMULA DA FELICIDADE

No estudo conduzido pelos pesquisadores do interior de São Paulo, o trabalho não aparece listado entre os itens que trazem felicidade. Essa vinculação veio com os resultados de um estudo do psicólogo norte-americano Martin Seligman, da Universidade da Pensilvânia. A conclusão ajuda a desvendar o segredo da felicidade. A fórmula está sempre ligada a três ingredientes: prazer, engajamento e significado. A psicologia positiva sugere que só a combinação dos três ingredientes poderia levar à felicidade. Mas, para nós, interessa o engajamento, que é o compromisso que nós temos com a vida, a vontade de fazer bem-feito – seja no trabalho, nas brincadeiras ou na família.

Outros trabalhos acadêmicos também fazem a ponte entre qualidade de vida e produtividade no trabalho. É o caso do estudo feito pela Universidade da Califórnia, que trouxe ainda mais clareza para a questão: o colaborador feliz é 31% mais produtivo, três vezes mais criativo e vende 37% a mais em comparação com um trabalhador menos motivado. Ao interpretar esses dados, o consultor de carreiras e diretor da Associação Nacional dos Executivos de Finanças, Administração e Contabilidade (Anefac), Emerson Dias, listou para a revista *Melhor – Gestão de Pessoas*, publicação oficial da Associação Brasileira de Recursos Humanos, quatro iniciativas que podem criar um ambiente de trabalho mais agradável:

- Realizar uma pesquisa de clima organizacional, ouvindo os colaboradores para estabelecer uma relação de confiança e conhecer expectativas relacionadas a salários, oportunidades e infraestrutura;
- Fazer os colaboradores se sentirem parte da empresa, aproximando-os das lideranças e mostrando que sugestões são bem-vindas;
- Criar um ambiente agradável, com boa iluminação, móveis confortáveis e uma decoração que desperte o interesse dos colaboradores;
- Comemorar e reconhecer uma negociação bem-sucedida, uma grande venda ou qualquer outra conquista dos colaboradores.

Há motivos mensuráveis para que a felicidade seja um dos assuntos palpitantes no mundo corporativo: dinheiro indo pelo ralo. A London School of Economics (LSE), da Inglaterra, conduziu o estudo *Global Patterns of Workplace Productivity for People With Depression: Absenteeism and Presenteeism Cost across Eight Diverse Countries* em oito países, em que aponta que a depressão é responsável por uma perda de 246 bilhões de dólares na economia mundial, em decorrência de faltas ao trabalho e da redução da produtividade. O Brasil é o segundo mais afetado, com um prejuízo de 63,3 bilhões de dólares, atrás apenas dos Estados Unidos. No ano em que a pesquisa foi feita, em 2016, a previdência social brasileira registrou o afastamento de 75 mil trabalhadores por depressão.

Uma das pessoas mais influentes no campo do desenvolvimento pessoal, Rajshree Patel, especialista em construir ambientes de trabalho felizes – com consultorias em companhias como Shell, Morgan Stanley, Universidade de Harvard e entidades como a ONU e o Pentágono –, disse em palestras realizadas durante visita ao Brasil, em fevereiro de 2017, que o primeiro passo para a felicidade é fazer as pessoas se conhecerem. O autoconhecimento, por meio da meditação ou de outros métodos como terapia, é a base de partida. O ponto mais delicado, no entanto, está na liderança. Encontrar um estilo equilibrado de comando é a peça-chave para uma empresa feliz.

A pesquisa *Os segredos das empresas e colaboradores mais felizes*, feita pela Robert Half, consultoria especializada em recrutamento e seleção, concluiu que ter orgulho da organização em que trabalha e ser tratado com igualdade e respeito são os principais geradores de felicidade no ambiente corporativo. O estudo avaliou os níveis de bem-estar de 23 mil profissionais em oito países. A conclusão é que a felicidade é o resultado da combinação entre a pessoa certa, a empresa certa e um trabalho interessante e significativo.

Embora exista uma corrente de especialistas que afirme não existir a fórmula para a felicidade, o que não falta são pesquisadores que pensem de forma contrária e se dedicam a estudos e pesquisas para encontrar uma receita, ou uma equação, com os ingredientes necessários. Uma delas é Sonja Lyubomirsky, professora e Ph.D. da Universidade de Stanford, nos Estados Unidos. Ela chegou à seguinte equação:

**FELICIDADE = GENÉTICA + CIRCUNSTÂNCIA + ATITUDE**

Sonja estabeleceu alguns percentuais, mas outros pesquisadores acabaram por alterar os índices que compõe a fórmula. Eu gosto da corrente que substituiu a variante Atitude por Proatividade, uma vez que essa palavra encerra posturas como pensamentos, comportamentos e ações, além de estabelecer os seguintes percentuais:

**FELICIDADE = 30% DE GENÉTICA**
**+ 10% DE CIRCUNSTÂNCIAS**
**+ 60% DE PROATIVIDADE**

Como não podemos alterar nossos genes, não há muito o que fazer se temos uma tendência – boa ou má – para a felicidade. As circunstâncias são temporárias e por isso têm efeito pequeno em nossa felicidade. O que nos sobra então é a nossa proatividade. E sobre isso temos total domínio. Ou seja, podemos nos antecipar a problemas e evitar situações negativas para alcançarmos a felicidade.

O primeiro passo para a felicidade é o autoconhecimento, de si e da cultura empresarial em que está inserido. O segundo é alinhar as expectativas, os valores, e reconhecer os esforços individuais. Se os trabalhos e as pesquisas apontam, definitivamente, para a conexão entre felicidade no trabalho com motivação e aumento de produtividade nas empresas, como fazer para conseguir?

## FELICIDADE INTERNA BRUTA

O professor-doutor Jorge Oishi está trabalhando desde 2019 para desenvolver, no Brasil, o conceito de Felicidade Interna Bruta (FIB). O FIB é um conjunto de indicadores alternativo ao Produto Interno Bruto (PIB), criado no Reino do Butão, no Himalaia, no ano de 1972, pelo então rei Jigme Singye Wangchuck. O FIB busca medir a felicidade e o bem-estar da população do local, utilizando nove elementos básicos, chamados de dimensões: bem-estar psicológico, saúde, uso do tempo, vitalidade comunitária, educação, cultura, meio ambiente, governança e padrão de vida.

Segundo o professor Oishi, o modelo FIB está chegando às empresas do mundo inteiro, porque o meio empresarial começa a entender que o bem-estar do colaborador é condicionante do seu bom desempenho, e, por isso, investem cada vez mais na felicidade de seus funcionários. Algumas corporações brasileiras, como o Banco Itaú e a Natura, já estão utilizando o FIB. As dimensões usadas no Butão – que são a base do método – estão sendo adaptadas de empresa para empresa, mas partem de indicadores como o padrão de vida dos colaboradores, o ambiente de trabalho, o bem-estar psicológico, o uso do tempo, a governança, a saúde e o respeito entre os colaboradores.

> **O autoconhecimento, por meio da meditação ou de outros métodos como terapia, é a base de partida.**

## NOSSA FELICIDADE TEM O NOSSO SOTAQUE

Na Bibi, nós também temos nossas receitas para sermos felizes. Boa parte dos conceitos que desenvolvemos e implementamos na empresa já foi apresentada no meu livro *Semeando felicidade nas empresas do século XXI*. No entanto, é preciso entender que não adianta construirmos um cenário de beleza, com escritórios decorados e ambientes festivos se a mudança não estiver no cerne da empresa. Para alcançarmos qualidade de vida e felicidade, precisamos, inicialmente, vivermos uma vida positiva.

Entretanto, antes de entrarmos nas nossas regras, é preciso dizer que as empresas brasileiras ainda estão assustadas com a velocidade das mudanças, não conseguem entender o rumo que o mundo dos negócios está tomando e ainda se refugiam em crenças e procedimentos do passado. Por isso, enquanto a ética, a participação nos resultados, o respeito pelo consumidor e o compromisso social se afirmam como exigências crescentes do mercado, muitas empresas ainda encaram esses conceitos como mera poesia.

O século XXI descortinou um mundo de fantásticas transformações. Elas são reais, e nós somos os agentes dessas mudanças. Mas é preciso coragem e prazer para participar de um mundo em renovação. Temos máquinas melhores, equipamentos de controle, e o aprendizado nos tornou condutores mais experientes. Numa frase, estamos prontos! Este é o perfil que as equipes precisam ter para competir na nova era. E, para isso, precisamos desenvolver ações permanentes para o crescimento dos nossos colaboradores. Viver a vida da empresa, competindo e criando espaços no mercado, deve ser um fator de felicidade para cada um. E esse espírito é que vai impulsionar o sucesso da nossa companhia.

Dessa forma, além do conhecimento específico de cada profissional e da ampliação dos horizontes culturais, é preciso cuidar também da orientação existencial das equipes. O conhecimento só dá frutos se for complementado por uma disposição positiva diante dos desafios. Na Bibi, costumamos recomendar que as pessoas desenvolvam seis atitudes no dia a dia:

1. **POSITIVISMO**

   É uma atitude que a ajuda a pessoa a voltar-se para os valores que a experiência humana indica genericamente como bons. Na Bibi, adotamos uma longa lista de definições. É o que entendemos como uma vida positiva:
   - Lutar pelos sonhos de maneira determinada.
   - Crescer sem precisar diminuir ninguém.

- Ter a verdade como princípio vital;
- Usar o poder da ousadia de forma construtiva;
- Saber agradecer e perdoar fraterna e totalmente;
- Priorizar a família;
- Viver cada dia com otimismo em relação ao futuro;
- Respeitar o próprio corpo;
- Preocupar-se com os mais carentes;
- Preserva a natureza;
- Ter a tenacidade da águia, o entusiasmo da formiga e a meiguice do beija-flor;
- Não se abater nos momentos difíceis;
- Jamais perder a esperança;
- Ter autoestima elevada;
- Ser rico em humildade;
- Fazer, sempre, a sua parte da melhor maneira.

## 2. ENTUSIASMO

É um estado de espírito que alimenta a nossa disposição para o trabalho, seja nas tarefas cotidianas, seja nos períodos de mobilização. Algumas pessoas vivem cercadas de oportunidades, têm ideias brilhantes, mas não conseguem colocá-las em prática. Falta, às vezes, a força motivadora. No outro extremo, há quem consegue transformar adversidade em sucesso, justamente por ter a força transformadora do entusiasmo dentro de si. O entusiasmo é o diferencial e também é coletivo e pode passar de pessoas para pessoa. A empresa, deve, portanto, criar formas de estimular o espírito entusiasta nas equipes.

## 3. FLEXIBILIDADE

Em tempos de mudanças tão velozes, é fácil entender a importância de sermos flexíveis; se cultivarmos o desapego pelo que aprendemos, estaremos prontos para receber o novo. Cedo ou tarde, a tecnologia que agora é avançada, cada vez mais rapidamente vai se tornar velha. Devemos estar prontos para esse momento, sendo flexíveis para absorver inovações. Isso vale para os relacionamentos, que devem ser orientados por princípios equilibrados de exigência e tolerância. Precisamos saber escutar e ponderar argumentos contrários às nossas opiniões. Na empresa, a flexibilidade se refere às condições de readaptação e de redirecionamento.

### 4. ORGANIZAÇÃO

Um dos princípios mais importantes. Cada colaborador precisa dedicar parte do seu tempo para observar o seu campo de trabalho, estabelecer a importância e as prioridades para as suas tarefas. O seu ambiente deve ser limpo, com cada objeto em seu lugar. Devem ser cultivadas virtudes como simplicidade e objetividade. O senso de organização exige considerar a dimensão do tempo: é necessário que o colaborador tenha claro quanto tempo ele dedica a cada tarefa.

### 5. FOCO E AÇÃO

É o tratamento que deve se dar a cada tarefa. O hábito a ser cultivado é o de manter a mente focada naquilo que está sendo feito, porque o pior inimigo da qualidade é a ação irrefletida. As melhores soluções não resultam de ideias perfeitamente arquitetadas, mas de ações bem pensadas e que, ao gerar os primeiros resultados, ensejam correções e melhorias.

### 6. INICIATIVA

Para serem completas, as equipes devem ter um forte espírito de iniciativa. Diante de fatos novos, precisamos estar prontos para responder com rapidez. Se o colaborador conhece os princípios e os objetivos da empresa, ele é capaz de decidir que medidas e orientações deverá tomar diante de cada situação. Ao contrário, aqueles que evitam tomar providências por achar que o problema não é de sua competência – por medo de errar ou por comodismo – perdem tempo e com isso competitividade. Se tempo é dinheiro, podemos dizer que a iniciativa é uma fonte de riquezas.

O que essas seis atitudes têm de melhor é que elas se alimentam, se completam e se equilibram. Assim como o entusiasmo é aliado do espírito positivo, é indispensável ter a flexibilidade ao lado da organização. Da mesma forma que a organização não tem sentido se não for orientada pelo foco correto e não estiver a serviço da ação. E não haverá ação se não houver iniciativa. O círculo virtuoso se completa quando percebemos que a iniciativa é descendente direta do positivismo e do entusiasmo. Todas essas atitudes têm um fundamento ético e, portanto, podem ser levadas para todas as formas de convívio social e valem também para orientar o relacionamento da empresa com a sociedade.

A empresa do século XXI é mais que um agente econômico. Desenvolvendo-se com ética, ela assume a condição de uma corporação cidadã, cuja ação é voltada para o desenvolvimento integral da sociedade por meio de campanhas públicas, ações internas ou apoio a entidades em causas sociais, ambientais, educacionais e de saúde pública. Nós, da Bibi, nos orgulhamos de todas as iniciativas que contribuem para o desenvolvimento da sociedade. E essas ações têm ajudado a ampliar os resultados da empresa.

O nosso comprometimento com a criança é autêntico, assim como a ampliação das nossas vendas por termos nos preocupado em oferecer calçados que favoreçam o desenvolvimento saudável dos pés. Somos a primeira indústria brasileira de calçados reconhecida como Amiga da Criança pela Fundação Abrinq. Prestamos serviços reais à sociedade quando aproveitamos nossas embalagens para campanhas cidadãs, como a divulgação de fotos de crianças desaparecidas; a distribuição de escovas de dentes e informações sobre a escovação correta; a distribuição e a plantação de 10 milhões de sementes de árvores; a abordagem da importância da preservação das águas e da separação do lixo, entre muitas iniciativas. Como resposta, o consumidor nos olha com mais simpatia e confiança. É difícil avaliar o valor da nossa imagem junto ao consumidor, mas ninguém duvida que seja um fator formidável de lucratividade.

O que se constrói, ao final de tudo, vai além da vida empresarial. Quando a empresa desenvolve atitudes positivas, ela contribui não só para o seu sucesso, mas também para a felicidade de cada um dos seus colaboradores e de toda a sociedade. É um lucro que não pode ser contabilizado, mas que devemos procurar e perseguir com o mesmo vigor e entusiasmo, porque é o verdadeiro objetivo do ser humano e de todas as suas ações. Assim:

- Tenha coragem de orientar a sua empresa para a felicidade e o sucesso será consequência natural;
- Pense na felicidade dos seus clientes, crie produtos e serviços com esse objetivo e eles lhe serão fiéis;
- Pense na felicidade dos seus colaboradores e eles serão seus aliados em todas as horas;

- Pense na felicidade do mundo – em especial do povo brasileiro – e ele oferecerá espaço para o crescimento e a perpetuação da sua empresa.

Felicidade é palavra de ordem nas empresas do século XXI. A felicidade está no ar, está na gente. Eu apresentei dados, pesquisas e estudos de especialistas que se debruçaram sobre o assunto para encontrar, mundo afora, aquilo que está dentro de cada um de nós: a felicidade. Eu não conhecia o *ikigai* até uns anos atrás, quando o conceito se disseminou pelo mundo a partir das ilhas onde vivem os anciãos japoneses – saudáveis e felizes. Mas eu tenho comigo que sempre cultivei esse sentimento, talvez empiricamente, quando me levantava às 6 horas da manhã e saia despertando a minha esposa e a minhas filhas para mais um dia:

— Acordamos para vencer! Vamos lá!

Sem saber, eu já tinha o meu *ikigai*. Não está na hora de você descobrir o seu?

**VIVA EM CLIMA DE FESTA**
F = FAMÍLIA
E = ESPIRITUALIDADE
S = SAÚDE
T = TRABALHO
A = AMIGOS

# Bibliografia

ABNT - http://www.leffa.pro.br/textos/abnt/2autores.html

## PARTE 1 – CONSTRUINDO A MARCA
### Capítulo 1 – SUZANA, ACORDAMOS PARA VENCER!

BARBOSA, F.B. *A concepção do Plano Cruzado*. Disponível em: <http://www.fgv.br/Cpdoc/Acervo/dicionarios/verbete-tematico/plano-cruzado> Acesso em: 06 out.2019.

DA SILVA, J. A. S. *Institucionalização de práticas organizacionais em organizações inovadoras*. 2007. Tese (Mestrado em Administração) – Programa de Pós-Graduação em Administração, Universidade Vale do Rio dos Sinos, São Leopoldo/RS.

INSTITUCIONAL. *Bibi 70 anos*. Produção Viu Multimídia. 2019, 8 minutos, son., color. Disponível em: < http://www.viumultimidia.com.br/projetos/institucional-bibi-70-anos/ > Acesso em: 06 out. 2019.

MARLIN. baixa 70 anos. Produção Calçados Bibi. 2019, 8 minutos, son., color. Disponível em: Acervo pessoal.

TCA NEWS. *Morre fundador da Calçados Bibi. 2014*. Disponível em: <https://www.tca.com.br/news> Acesso em: 01 out. 2019.

### Capítulo 2 – CULTURA – NÃO EXISTE UM SÓ SAPATO PARA TODOS OS PÉS

ALVES, F.; ROQUE, T. *Pesquisa Cultura Organizacional 2019 PWC*. 2019. Disponível em: <https://www.pwc.com.br/pt/estudos/preocupacoes-ceos/mais-temas/2019/pesquisa-cultura-organizacional-2019.html>. Acesso em: 10 out. 2019.

DAIMLER, M. *Por que os grandes funcionários deixam grandes culturas?* 2018. Disponível em: <https://hbrbr.uol.com.br/grandes-culturas/>. Acesso em: 10 out. 2019.

DEWAR, C. *Culture: 4 keys why it matters*. 2018. Disponível em: <https://www.mckinsey.com/business-functions/organization/our-insights/the-organization-blog/culture-4-keys-to-why-it-matters?_ga=2.1947832.861321412.1574632984-1416229039.1574174961> Acesso em: 11 out. 2019.

Global Culture Survey – Para onde a cultura organizacional está indo. 2018. Disponível em: https://www.strategyand.pwc.com/gx/en/insights/2018/global-culture-survey.html. Acesso em: 10 out. 2019.

HSIEH, T. *The Zappos Family Culture Book*. 2018. Disponível em: <https://www.zapposinsights.com/culture-book>. Acesso em: 11 out. 2019.

REIS, A. *Cultura Organizacional de resultados - casos brasileiros*. São Paulo: Editora Qualitymark, 2019.

SANCHES, A. *Endomarketing: a prática e o seu efeito nas organizações*. 2017. Disponível em: <https://casperlibero.edu.br/wp-content/uploads/2017/07/5-Alice-Sanches.pdf>. Acesso em: 10 out. 2019.

STRATEGY&. Global Culture Survey – *Para onde a cultura organizacional está indo*. 2018. Disponível em:<https://www.strategyand.pwc.com/gx/en/insights/2018/global-culture-survey.html>. Acesso em: 10 out. 2019.

### Capítulo 3 – UM TIME DE PARCEIROS

POZZEBON, M. *FIMEC – 35 empresas participam pela primeira vez*. 2019. Disponível em: <http://exclusivo.com.br/_conteudo/2019/02/negocios/2381988-fimec-35-empresas-participam-pela-primeira-vez.html>. Acesso em: 28 out 2019.

SEGALL, K. *Incrivelmente Simples – a obsessão que levou a Apple ao sucesso*. Rio de Janeiro: Alta Books, 2018.

SOARES, A. *Sistema Toyota de Produção*. 2013. Disponível em: <https://administradores.com.br/artigos/sistema-toyota-de-producao>. Acesso em: 28 out 2019.

### Capítulo 4 – PRA CRIANÇA SER CRIANÇA – ESSE É O PROPÓSITO DA BIBI

BITTENCOURT, G. *Propósito que engaja de fato*. Disponível em: <http://crm.bittencourtconsultoria.com.br/proposito> Acesso em: 23 nov. 2019

DVORAK, N.; OTT, B. *A Company's Purpose Has to Be a Lot More Than Words*. 2015. Disponível em: https://www.gallup.com/workplace/236573/company-purpose-lot-words.aspx> Acesso em: 03 nov. 2019.

KORN FERRY INSTITUTE. *Sucesso com propósito*. 2016. Disponível em: <https://www.kornferry.com/institute/purpose-powered-success?reports-and-insights> Acesso em: 02 nov. 2019.

REIMAN, J. *Propósito – Porque engaja colaboradores, constrói marcas fortes e empresas poderosas*. São Paulo, HSM Editora, 2013.

SOUZA, A. C. *O propósito como investimento estratégico nas empresas – uma visão neurocientífica*. 2019. Disponível em: <https://www.revistahsm.com.br/post/o-proposito-como-investimento-estrategico-nas-empresas-uma-visao-neurocientifica> Acesso em: 03 nov. 2019

### Capítulo 5 – ENTRE GANHAR DINHEIRO E MUDAR O MUNDO, FIQUE COM OS DOIS

BOURROUL, M. *O poder das companhias movidas pelo propósito é extraordinário*. 05. nov. 2014. Disponível em: < https://epocanegocios.globo.com/Informacao/Visao/noticia/2014/11/voce-ja-viu-algum-filme-em-que-o-heroi-e-o-lider-de-uma-companhia.html> Acesso em: 04 out. 2019.

CARNEVALLI, E. *Capitalismo consciente não significa afrouxar na cobrança ou nos resultados*. 2019. Disponível em: <https://epocanegocios.globo.com/Empresa/noticia/2019/03/capitalismo-consciente-nao-significa-afrouxar-na-cobranca-ou-nos-resultados.html> Acesso em: 04 out. 2019.

MACKEY, J.; SISODIA, R. *Capitalismo consciente – como libertar o espírito heroico dos negócios*. São Paulo: HSM Editora, 2013.

OLIVEIRA, Y. *Empresa com gestão humanizada satisfaz clientes e rende mais, indica pesquisa*. 2019. Disponível em: <https://jornal.usp.br/ciencias/ciencias-humanas/

empresa-com-gestao-humanizada-satisfaz-clientes-e-rende-mais-indica-pesquisa/> Acesso em: 04 out. 2019.

SOROSINI, M.; CARDOSO, L. *Millennials: entenda a geração que mudou a forma de conviver.* 2018. Disponível em: <https://oglobo.globo.com/economia/millennials-entenda-geracao-que-mudou-forma-de-consumir-23073519> Acesso em: 04 out. 2019.

## Capítulo 6 – O DESAFIO DA LIDERANÇA MODERNA

BARSH, J; LAVOIE, J; *Centered Leadership-Leading wirh Purpose, Clarity and Impact.* New York: Crow Business, 2014.

BIGARELLI, B. *A chave para uma liderança melhor, segundo esses gurus indianos.* 2018. Disponível em: <https://epocanegocios.globo.com/Carreira/noticia/2018/09/chave-para-uma-lideranca-melhor-segundo-esses-gurus-indianos.html> Acesso em: 08 nov. 2019

BRADBERRY, T. *What Makes A Leader?* 2015. Disponível em: <https://www.linkedin.com/pulse/you-leader-follower-dr-travis-bradberry/> Acesso em: 07 nov. 2019.

CALDAS, E. *O que mudou na forma como líderes devem enfrentar desafios.* 2018. Disponível em: <https://epocanegocios.globo.com/Carreira/noticia/2018/01/o-que-mudou-na-forma-como-lideres-devem-enfrentar-desafios.html> Acesso em: 08 nov. 2019.

FIA. *Governança corporativa: o que é, importância e como aplicar.* 2018. Disponível em: <https://fia.com.br/blog/governanca-corporativa/> Acesso em: 08 nov. 2019.

FRAZÃO, D. *Lao-Tsé, o filósofo da China Antiga.* 2018. Disponível em: <https://www.ebiografia.com/lao_tse> Acesso em: 09 nov. 2019.

GREGO, Silmara M. S. S. *Empreendedorismo no Brasil – relatório executivo 2018 GEM.* 2019. Disponível em:<https://datasebrae.com.br/wp-content/uploads/2019/02/Relat%C3%B3rio-Executivo-Brasil-2018-v3-web.pdf>. Acesso em: 09 nov. 2019.

IBGC. *Código das melhores práticas de governança corporativa.* 4ª edição. IBGC.2009.

LALOUX, F. *Reinventando as Organizações.* Bruxelas: Voo, 2014.

ROBINSON, A. *According to Harvard, This 1 Leadership Trait Separates Exceptional Leaders From the Rest.* 2018. Disponível em: <https://www.inc.com/adam-robinson/according-to-harvard-this-1-leadership-trait-separates-exceptional-leaders-from-rest.html> Acesso em: 08 nov. 2019.

SEBRAE. *Anuário do trabalho nos pequenos negócios 2016.* 2018. Disponível em: <https://m.sebrae.com.br/Sebrae/Portal%20Sebrae/Anexos/Anuario%20do%20Trabalho%20nos%20Pequenos%20Neg%C3%B3cios%202016_.pdf> Acesso em: 23 nov. 2019.

SUNNIE, G. *The Most Important Leadership Competencies, According to Leaders Around the World.* 2013. Disponível em: <https://hbr.org/2016/03/the-most-important-leadership-competencies-according-to-leaders-around-the-world.> Acesso em: 08 nov 2019.

## Capítulo 7 – CHEGOU A HORA DE PASSAR O BASTÃO. E AGORA?

ABF. *Sucessão em franchising: é preciso preparar-se para a continuidade do negócio.* 2017. Disponível em: <https://www.portaldofranchising.com.br/artigos-sobre-franchising/sucessao franchising-e-preciso-continuar-o-negocio/> Acesso em : 06 nov. 2019.

FILHO, W. G. *Qual a diferença entre as empresas familiares do Brasil e as de outros países.* 2010. Disponível em: <http://revistapegn.globo.com/Revista/Common/0,,EMI152575-17172,00-QUAL+A+DIFERENCA+ENTRE+AS+EMPRESAS+FAMILIARES+DO+BRASIL+E+AS+DE+OUTROS+PAIS.html > Acesso em: 04 nov. 2019.

MACHADO, A. P. *Briga entre parentes é maior entrave na sucessão de empresas familiares.* 2013. Disponível em: <Economia - iG @ https://economia.ig.com.br/empresas/2013-05-08/briga-entre-parentes-e-maior-entrave-na-sucessao-de-empresas-familiares.html> Acesso em: 06 nov. 2019.

MATTOS, E.; MARTHA, L.; GOES, T.; PARENTE, T.C.; CAFÉ, V.; BARROS, W.; MENDONÇA, C.; AMARAL, E. *Governança em empresas familiares*: Evidências Brasileiras. 2019. Disponível em: <https://www.pwc.com.br/pt/estudos/setores-atividades/pcs/2019/pesquisa-gov-emp-fam-19.pdf> Acesso em: 04 nov. 2019.

PWC *The Global Family Business Survey 2018.* 2018. Disponível em: <https://www.pwc.com/gx/en/services/family-business/family-business-survey-2018.html>. Acesso em: 04 nov. 2019.

SIMOES, K. *Sucessão é tema ainda fora da pauta.* 2016. Disponível em: <https://valor.globo.com/carreira/recursos-humanos/noticia/2016/12/19/sucessao-e-tema-ainda-fora-da-pauta.ghtml> Acesso em: 06 nov. 2019.


**Capítulo 8 – O ETERNO JOGO DO ESFORÇO × CONFORTO**

MATTOS, Tiago. *Vai lá e faz.* Caxias do Sul: Belas Letras, 2017.

PICCHI, F. *Gestão pode gerar aprendizado ao tirar pessoas da zona de conforto.* 2018. Disponível em: <https://epocanegocios.globo.com/colunas/Enxuga-Ai/noticia/2018/11/gestao-pode-gerar-aprendizado-ao-tirar-pessoas-da-zona-de-conforto.html> Acesso em: 20 out. 2019.


**PARTE 2 – INOVAÇÃO**

**Capítulo 1 – INOVAR É INVENTAR O PRÓPRIO FUTURO**

BOEIRA, J. P. *Inovação é atitude.* 2019. Disponível em: <https://epocanegocios.globo.com/colunas/noticia/2019/07/inovacao-e-atitude.html> Acesso em: 17 out. 2019.

CHESBROUGH, H. *Inovação aberta: como criar e lucrar com a tecnologia.* Porto Alegre: Bookman, 2011.

HOLOUBEK, K.; GILBERT, J.; BOWLING, E. *Measuring Open Innovation Outcomes.* 2019. Disponível em: <https://www.luminary-labs.com/insight/open-innovation-outcomes-prize-recipient-survey/> Acesso em: 11 out. 2019.

ISLAM, E.; ZEIN, J. *CEOs Inventores.* 2018. Disponível em: <https://pdfs.semanticscholar.org/db34/91af1ceab6ccf78a2fdd50253e6fb28f6281.pdf> Acesso em: 18 out. 2019

MARSUURA, S. *Celeiro dos smartphones,* Vale do Silício chinês desafia o berço da tecnologia nos EUA. 2019. Disponível em: <https://oglobo.globo.com/economia/celeiro-dos-smartphones-vale-do-silicio-chines-desafia-berco-da-tecnologia-nos-eua-23999105> Acesso: 10 out. 2019.

OMPI, INSEAD, CNI. *Índice global de inovação.* Nova Deli. 2019. Disponível em:

<https://www.wipo.int/export/sites/www/pressroom/pt/documents/pr_2019_834.pdf> Acesso em: 11 out. 2019.

SETTI, R. *"O progresso de nada vale se não for compartilhado por todos", diz papa da inovação francês.* 2018. Disponível em: <https://oglobo.globo.com/economia/o-progresso-de-nada-vale-se-nao-for-compartilhado-por-todos-diz-papa-da-inovacao-frances-23249527> Acesso em: 17 out. 2019.

SIMÕES, K. *Empresas devem estimular o debate.* 2018. Disponível em: <https://valor.globo.com/carreira/ensino-executivo/noticia/2018/10/30/empresas-devem-estimular-o-debate.ghtml> Acesso em: 19 out. 2019.

VERGANTI, Roberto. *Overcrowde – Desenvolvendo produtos com significado em um mundo repleto de ideias.* São Paulo: Canal Certo, 2018.

ZANUTO, R. T. H. *Ecossistema de Inovação no Brasil: as lacunas que precisamos preencher.* 2019. Disponível em: <https://brasil.elpais.com/brasil/2019/09/03/opinion/1567527700_640376.html> Acesso em: 12 out. 2019.

### Capítulo 2 – CRESCIMENTO EXPONENCIAL: SUA EMPRESA TAMBÉM PODE

ABRITTA, L. 2018. *Dez vezes mais rápidas e eficientes.* 2018. Disponível em: <http://www.trends.biz/?slug=dez-vezes-mais-rapidas-e-eficientes>. Acesso em: 16 out. 2019.

CARNEVALLI, E. O que você pode copiar dos negócios exponenciais. 2019. Disponível em: <https://epocanegocios.globo.com/Empresa/noticia/2019/09/o-que-voce-pode-copiar-dos-negocios-exponenciais.html> Acesso em: 15 out. 2019.

FRANKENTHAL, R. O que são organizações exponenciais. 2017. Disponível em: <https://mindminers.com/blog/o-que-sao-organizacoes-exponenciais/> Acesso em: 15 out. 2019.

ISMAIL, Salim; MALONE, Michael; GEEST, Yuri. *Organizações exponenciais.* São Paulo: HSM, 2015.

### Capítulo 3 – FICÇÃO CIENTÍFICA? NÃO, É A INDUSTRIA 4.0

ABRITTA, L. 2018. Dez vezes mais rápidas e eficientes. 2018. Disponível em: <http://www.trends.biz/?slug=dez-vezes-mais-rapidas-e-eficientes>. Acesso em: 16 out. 2019.

CARNEVALLI, E. O que você pode copiar dos negócios exponenciais. 2019. Disponível em: <https://epocanegocios.globo.com/Empresa/noticia/2019/09/o-que-voce-pode-copiar-dos-negocios-exponenciais.html> Acesso em: 15 out. 2019.

FRANKENTHAL, R. *O que são organizações exponenciais.* 2017. Disponível em: <https://mindminers.com/blog/o-que-sao-organizacoes-exponenciais/> Acesso em: 15 out. 2019.

Norton Cyber Security *Insights Report – Global Results.* 2017. Disponível em: https://www.symantec.com/content/dam/symantec/docs/about/2017-ncsir-global-resultsen.pdf. Acesso em: 28 out. 2019.

PUGLIANO, John. *A chegada dos robôs: um guia de sobrevivência para os seres humanos.* São Paulo: Madras, 2017.

World Economic Forum. The Future of Jobs Report 2018. Disponível em: http://abet-trabalho.org.br/wp-content/uploads/2018/12/WEF_Future_of_Jobs_2018.pdf. Acesso em: 10 out. 2019.

## PARTE 3 – O DESAFIO DO VAREJO

ALVES, F.; NEVES, R. Do shopping para o smartphone: os novos hábitos de consumo. 2018. Disponível em: <https://www.pwc.com.br/pt/setores-de-atividade/varejo-e-consumo/assets/2018/05_Do%20shopping%20para%20o%20smartphone%20adapta%C3%A7%C3%A3o%20aos%20novos%20h%C3%A1bitos%20de%20consum.pdf> Acesso em: 13 nov. 2019.

CAPGEMINI RESEARCH INSTITUTE. *The Last-Mile Delivery Challenge: Giving Retail and Consumer Product Customers a Superior Delivery Experience Without Impacting Profitability.* 2019. Disponível em: <https://www.capgemini.com/research/the-last-mile-delivery-challenge/> Acesso em: 13 nov. 2019.

CARNEVALLI, E.; FRABASILE, D. *Quem é (e como conquistar) o consumidor do futuro.* 2019. Disponível em: <https://epocanegocios.globo.com/Economia/noticia/2019/09/quem-e-e-como-conquistar-o-consumidor-do-futuro.html> Acesso em: 13 nov. 2019.

EVANS, M. *Commerce 2040. Revolutionary Tech Will Boos Consumer Engagement.* 2019. Disponível em: <https://go.euromonitor.com/white-paper-digital-consumer-2018-commerce-2040-revolutionary-tech-boosts-consumer-engagement.html> Acesso em: 12 nov. 2019.

GAMBARO, F. *Relatório Energias Globais.* 2019. Disponível em: <https://br.kantar.com/mercado-e-pol%C3%ADtica/consumo-e-neg%C3%B3cios/2019/kantar-apresenta-mudan%C3%A7as-e-tend%C3%AAncias-que-impactam-consumo-no-brasil-e-no-mundo/> Acesso em : 13 nov. 2019.

PwC. *Global Consumer Insights Survey 2018 – Do shopping para o smartphone: os novos hábitos de consumo.* Disponível em: https://www.pwc.com.br/pt/setores-de-atividade/varejo-e-consumo/assets/2018/05_Do%20shopping%20para%20o%20smartphone%20adapta%C3%A7%C3%A3o%20aos%20novos%20h%C3%A1bitos%20de%20consum.pdf. Acesso em: 13 nov. 2019.

PYMNTS. *How We Will Pay Study.* 2019. Disponível em: <https://www.pymnts.com/how-we-will-pay/> Acesso em: 13 nov. 2019.

SIMÕES, K. *Varejo faz da loja física um centro de experimentações.* 2019. Disponível em: <https://valor.globo.com/publicacoes/suplementos/noticia/2019/11/05/varejo-faz-da-loja-fisica-um-centro-de-experimentacoes.ghtml. Acesso em: 12 nov.2019

SOUZA, M. G. *Novo Varejo 2.0: combinação virtuosa.* 2019. Disponível em: <https://www.clientesa.com.br/artigos/69228/novo-varejo-20-combinacao-virtuosa> Acesso em: 12 nov. 2019.


## PARTE 4 – FUTURO

### Capítulo 1 – PARA NÃO PARAR NO TEMPO

CABRAL, M. *A nova era do talentismo.* 2016. Disponível em: <https://epocanegocios.globo.com/Economia/noticia/2016/07/nova-era-do-talentismo.html> Acesso em: 09 nov. 2019.

FIESP. *Outlook Fiesp - projeções para o agronegócios brasileiro 2028.* 2019. Disponível em: <http://outlookdeagro.fiesp.com.br/OutLookDeagro/Content/OutlookFiesp2028_Apresentacao.pdf> Acesso em: 09 nov. 2019.

VICENTE, P. *Saber planejador: o desenho do futuro. Revista HSM Management*, n. 92, p.66-72, 2012.

VICENTE, Paulo. *Um século em quatro atos: uma projeção do século XXI*. São Paulo: Alta Books, 2019.

## Capítulo 2 - ESSA TAL FELICIDADE

EVANS-LACKO, S.; KNAPP, M. *Global patterns of workplace productivity for people with depression: absenteeism and presenteeism costs across eight diverse countries. 2016.* Social Psychiatry and Psychiatric Epidemiology, 51 (11). pp. 1525-1537. Disponível em: <http://eprints.lse.ac.uk/67509/7/Global%20patterns_2016.pdf> Acesso em: 10 nov. 2019.

KOHLRAUSCH, M. *Semeando felicidade nas empresas do século XXI*. 2. ed. São Paulo: Editora Gente, 1999.

LYUBOMIRSKY, S. *A ciência da felicidade: como atingir a felicidade real e duradoura*. Rio de Janeiro: Elsevier, 2008.

MOGI, K. *Ikigai – os cinco passos para encontrar seu propósito de vida e ser mais feliz*. Bauru: Astral Cultural, 2018.

OISHI, J.. RODRIGUES, S. A. Mapa da Felicidade no Estado de São Paulo. 2005.

OLIVEIRAS, E. F. *Felicidade no trabalho: os 10 conselhos de Srikumar Rao*. 2019. https://blog.grupo-pya.com/pt-br/felicidade-no-trabalho-os-10-conselhos-srikumar-rao/ Acesso em 17 nov. 2019.

ONTIVEROS, E. *O que é o "Ikigai", o segredo japonês para uma vida longa, feliz e saudável*. Disponível em: < https://www.bbc.com/portuguese/geral-44293333 >. Acesso em: 16 out.2019.

RAO, S.S. *Felicidade no trabalho - seja resiliente, motivado e bem-sucedido, não importa o que aconteça*. Rio de Janeiro: Alta Books, 2011.

REVISTA MELHOR. *Funcionários felizes são, em média, 31% mais produtivos, diz pesquisa*. 2018. Disponível em: https://revistamelhor.com.br/funcionarios-felizes/> Acesso em: 06 nov. 2019.

ROBERT HALF. *Os segredos das empresas e colaboradores mais felizes*. 2017. Disponível em: <https://www.roberthalf.com.br/sites/roberthalf.com.br/files/pdf/noindex/robert-half-chegou-a-hora-de-ser-feliz-no-trabalho.pdf> Acesso em: 10 nov. 2019.

TRILHA IKIGAI. Produção ONOVOLAB. 2018, 131 min, son., color. Disponível em: <https://www.facebook.com/onovolab/videos/223430801549976/> Acesso em: 17 nov. 2019.

Este livro
foi impresso
pela gráfica Loyola
em papel soft 70g
em fevereiro
de 2020.